D0674051

MENS VS. NATUUR

Diane Cook (1976, San Jose, Californië) heeft verhalen ge-
publiceerd in gerenommeerde tijdschriften als *Harper's Ma-
gazine*, *Zoetrope*, *Tin House* en *Granta*. Daarnaast schrijft ze
artikelen voor *The New York Times*. Ze was zes jaar werkzaam
voor de radioshow *This American Life*.

Diane Cook

Mens vs. natuur

verhalen

Vertaald door Kees Mollema

MERIDIAAN
UITGEVERS

2015

Oorspronkelijke titel: *Man V. Nature*
Oorspronkelijk uitgegeven door HarperCollins, New York, 2014
© 2014 Diane Cook
Published by arrangement with Lennart Sane Agency AB.
© Vertaling uit het Engels: Kees Mollema, 2015
© Nederlandse uitgave: Meridiaan Uitgevers, Amsterdam 2015
Omslagontwerp: Wil Immink Design
© Omslagbeeld: Wil Immink Design/Thinkstock
Foto auteur: © Jorge Just
Typografie: Perfect Service, Schoonhoven

ISBN 978 90 488 2198 3
ISBN 978 90 488 2199 0 (e-book)
NUR 304

Eerste druk, maart 2015

www.meridiaanuitgevers.nl
www.overamstel.com

Meridiaan uitgevers is een imprint van Overamstel uitgevers bv

OVERAMSTEL
uitgevers

Voor mijn moeder

De Wildernis is nieuw – voor u.
Meester, laat me u leiden.
– EMILY DICKINSON

Inhoud

Verdergaan

Ze laten me de begrafenis van mijn man regelen en zijn zaken afwikkelen, en dat betekent dat ik nog een paar dagen in mijn huis mag blijven, waar ik doe alsof hij op zakenreis is, terwijl ik voor de kast sta en aan zijn kleding ruik. Ik kook avondeten voor twee en gooi weg wat overblijft, of eet te veel, afhankelijk van mijn stemming. Ik maak een tijdcapsule met foto's, die ik niet mag houden. Ik begraaf die in de tuin, zodat een nieuw gezin ze zal vinden.

Maar als het werk eenmaal klaar is, draagt het Plaatsingsteam me op twee tassen in te pakken met essentiële kleding, geschikt voor elk klimaat. Ze nemen de sleutels van ons huis en onze auto in ontvangst. Later zal er een werkploeg komen, die alles van prijzen voorziet, en dan zal de verkoop worden aangekondigd; al mijn buren zullen er zijn. Ik zal daar niets van meekrijgen, maar ik heb gezien hoe het anderen overkwam. De opbrengst gaat naar mijn bruidsschat en hopelijk zal, op een dag, een andere man met mij trouwen.

Ik maak een goede kans te worden gekozen, want ik kan huizen leuk inrichten en ik heb heel mooie spullen om te verkopen, dus zal mijn bruidsschat aanlokkelijk zijn. De auto is ook bijna nieuw. Het afgelopen jaar was ik de enige die erin reed en ik heb hem goed schoongehouden. Het is een mooie auto, met lederen bekleding en veel opties. Mijn echtgenoot kocht hem, als cadeau voor zichzelf toen hij promotie maakte, hoewel hij er maar een paar maanden in heeft gereden, voordat de ziekte hem aan zijn bed kluisterde. Het is een grote gezinsauto en dat zal de buren zeker aanspreken, want die hebben allemaal grote gezinnen. Wij waren nog niet begonnen. We maakten ons zorgen om geld, bekeken het praktisch. Ik heb mazzel dat we geen kinderen hebben. Vrouwen met bagage zijn veel moeilijker te plaatsen, heb ik gehoord. Ze scheiden moeders van hun kinderen. Ik heb gehoord dat het voor iedereen heel moeilijk kan zijn. Kinderen zijn als fantoomledematen die pijn doen aan het lijf van een moeder. Ik zou het niet weten, maar ik kan het me goed voorstellen.

Ze halen me met een auto op en ik zie alle bladeren die zijn gevallen, terwijl ik druk bezig was mijn echtgenoot te begraven en me zorgen maakte over wat er van mij terecht moest komen. De bladeren, glanzend en rood, liggen verspreid rond de boomstammen als kerstboomrokken. Ik zie de hark, die tegen de regenpijp staat. Ik had op z'n minst de tuin nog een laatste keer aan kunnen harken. Ik had mijn echtgenoot beloofd dat te doen.

Ik word naar een opvanghuis voor vrouwen gebracht, aan een weg die naar de snelweg leidt. We mogen niet buiten het hek komen, want het gebied is ruig en wild. De lucht is 's nachts overstelpt met sterren en in de verte huilen dieren. Soms verschuilen mannen zich om de vrouwen te overvallen die zich vanuit de bus naar het hek haasten en de bewakers, zelf ook vrouwen, grijpen dan niet altijd in. Soms helpen ze zelfs. Zoals met alles, is er ook voor achtergebleven vrouwen

een zwarte markt. Meestal zijn het weduwen, maar in zeldzame gevallen zijn onoverbrugbare verschillen de reden om
in een opvanghuis terecht te komen. Aan de overkant van
de weg is een opvanghuis voor mannen. Het is kleiner en
vooral bedoeld voor arme weduwnaars die niet voor zichzelf
kunnen zorgen. Mijn vader kwam in Florida in zo'n opvanghuis terecht. Een rijke vrouw, die haar carrière altijd belang-
rijker had gevonden, koos hem. Nu ze ouder was, wilde ze
een levensgezel. Ze stuurden hem naar haar toe, ergens in
Texas. Ik ben hem uit het oog verloren. Het dichtstbijzijnde
opvanghuis voor kinderen ligt in een andere gemeente.

Mijn kamer heeft een raam, geïsoleerd met folie, dat uit-
kijkt over de weg en als ik mijn licht uitdoe, zie ik de mannen
in hun verlichte kamers, als donkere sterren. Ik zie hoe ze
zich door hun kleine ruimtes bewegen. Ik vraag me af hoe
mijn nieuwe echtgenoot zal zijn.

We krijgen zoveel papieren en pakjes. We hebben schema's
gekregen en huisregels en ook suggesties hoe we ons leven
en ons uiterlijk kunnen verbeteren. Het is net een wellness-
centrum achter een hek. We worden aangemoedigd om lessen te volgen in koken, naaien, breien, tuinieren, zwanger
worden, weer-in-vorm-komen-na-zwangerschap, kinderen
opvoeden, vrouwelijke assertiviteit, joggen, voeding en huis-
houdkunde. Er zijn groepsgesprekken over sekstechnieken
en verplichte cursussen 'verdergaan'.

Op mijn eerste cursus 'Verdergaan voor weduwen' krijg
ik een handboek met handige oefeningen en visualisaties. Ik
moet me bijvoorbeeld herinneren wanneer ik mijn echtgenoot voor het eerst zag – we hebben elkaar ontmoet tijdens
een lunch voor nieuwe medewerkers – en me dan voorstel-

len dat het moment anders verloopt. Zo moet ik me bijvoorbeeld inbeelden dat ik straal langs hem heen loop en in mijn eentje ga zitten, in plaats van naast hem te gaan zitten en zijn glas water om te stoten over zijn welkomstpakket. Of, als ik wel naast hem ga zitten en zijn glas omstoot, moet ik me voorstellen dat hij tegen me schreeuwt omdat ik zo onhandig ben, in plaats van hoe hij lachte en onze vingers verstrengeld raakten, terwijl we zenuwachtig het water opveegden. Ik moet me voorstellen dat ik me eenzaam voelde op onze trouwdag en dat ik, in plaats van liefde en geluk, twijfel en angst voelde. Het is allemaal heel moeilijk.

Maar, zo zeggen ze, het helpt je geplaatst te worden. Wat ik grappig vind is dat het sinds mijn echtgenoot is overleden – eigenlijk al toen hij stervende was – geen moment bij me is opgekomen dat dit moeilijk zou kunnen zijn. Ik dacht dat het gewoon de volgende stap zou zijn. Mijn begeleidster zegt dat dit normaal is en dat het onthechte gevoel te wijten is aan de schok. Ze zegt dat het beter voor me is als ik dit gevoel vast weet te houden, zodat ik over het verbijsterende verdriet dat volgt heen kan stappen. Degenen die verteerd worden door verdriet blijven hier langer. Jarenlang, soms. 'Oefenen, oefenen, oefenen,' zegt ze altijd.

We krijgen allemaal een ingelijste foto van een man, een of ander fotomodel, en ik neem die mee naar mijn cel en zet hem naast mijn bed, zoals opgedragen. Ik moet het gezicht van mijn echtgenoot in mijn herinneringen vervangen door dat van de man op de foto, hoewel ik moet oppassen dat ik me niet te veel aan hem hecht; de man op de foto is niet mijn nieuwe echtgenoot. De man is te gladjes; zijn tanden zijn allemaal recht en wit en zijn haar glanst van gel die is uitgehard. Ik vermoed dat hij een merk zeep gebruikt waarvan ik de lucht niet kan uitstaan. Hij ziet eruit alsof hij zich niet elke dag hoeft te scheren. Mijn echtgenoot had een baard. Maar, zo bedenk ik, dat maakt nu niets meer uit. Wat ik graag wil is niet meer belangrijk.

We mogen één uur per dag naar buiten, naar een omheind terrein bij de noordelijke vleugel. Het staat vol plastic tuinstoelen en de vrouwen die hier al langer zijn, verschuiven de stoelen zodat ze in de zon kunnen zitten. Ze kleden zich uit tot op hun ondergoed en proberen bruin te worden. Andere vrouwen lopen regelrecht naar de aerobicsles in een van de hoeken van de luchtplaats. Boven op de hekken zit prikkeldraad. Bewakers zitten in hun hokjes en houden ons in de gaten. Tot dusver heb ik alleen langs het hek gelopen en naar buiten gekeken. Alle bomen aan de andere kant van het hek zijn gekapt, afgezien van een enkele weerbarstige boomstronk. Overal groeit onkruid en er staan wat doornstruiken. Dit is een wat nieuwer opvanghuis. Over enkele decennia zal er misschien schaduw zijn van jonge bomen. Dat zou het gezelliger maken. In de verte is een bos te zien; een bewegende rand van bomen, zwaaiend in de wind. Hoewel er coyotes rondsluipen over het braakliggende terrein, lijkt mij het bos het meest bedreigend. Het is onbekend gebied.

Als ik rondloop, moet ik vaak om een groepje vrouwen van een andere verdieping heen lopen (de verdiepingen klitten bij elkaar, sociaal gesproken); ze vormen een menselijk schild rondom een vrouw die op haar knieën ligt. Ze graaft in de grond met een opscheplepel uit de kantine. Die is verbogen, bijna dubbelgevouwen, maar ze gaat door met schrapen in de kiezelrijke grond. Er zijn weglopers, die 's nachts proberen te ontsnappen. Ze denken dat ze in hun eentje beter af zijn. Ik denk niet dat ik dat zou kunnen. Ik ben veel te huiselijk voor dat soort dingen.

Na vier weken ben ik bevriend geraakt met de vrouwen op mijn verdieping. Het blijkt dat we allemaal bakken. Gewoon, als hobby. Elke avond bakt een van ons koekjes of een cake, op basis van herinnering of een recept uit een van de oude damesbladen die overal in het centrum liggen, en dan proeven we, drinken we thee, praten wat. Het is heerlijk om onder vrouwen te zijn. In veel opzichten is dit een humaan opvanghuis. Wij zijn vrouwen die maar weinig te doen hebben en wier toekomst onzeker is. Afgezien van het dagelijks werken aan onszelf, worden we verder met rust gelaten. Ik mag de vrouwen op mijn verdieping wel. Ze staan met beide benen op de grond, zijn rustig en niet bijzonder jaloers. Ik vermoed dat we geluk hebben gehad. Ik heb vechtpartijen gehoord, 's avonds, op andere verdiepingen. De separeer, in de kelder, zit altijd vol. Net als de ziekenboeg. Een vrouw op de vierde verdieping die zojuist was uitgekozen, werd in haar slaap aangevallen en met een scheermes in haar wang gesneden. Het verhaal gaat dat haar aanstaande haar, toen het Plaatsingsteam hem dit nieuws vertelde, ongezien afwees. Daar stond ze dan, alles ingepakt en klaar om een nieuw leven te beginnen. Toen ze terugkwam uit de ziekenboeg, met nette hechtingen om het litteken zo minimaal mogelijk te houden, kroop ze in hetzelfde bed, met lakens die nog vol bloedvlekken zaten. Als ze op onze verdieping had gewoond, had ik de lakens voor haar verschoond. En ik weet dat ook de anderen dat gedaan zouden hebben. Dat bedoel ik, als ik zeg dat ik geluk heb gehad.

Vorige week werd onze Marybeth uitgekozen en naar een

boerderij bij Spokane gestuurd. We stelden een afscheids-
pakketje voor haar samen; we schreven de recepten van de
traktaties die we samen hadden gebakken op archiefkaartjes,
zodat ze zich altijd haar tijd hier kon herinneren, als ze dat
wilde. Toen we het aan haar overhandigden, huilde ze. 'Ik
ben er nog niet klaar voor,' jammerde ze. 'Ik mis hem nog
steeds.' Een paar van ons probeerden haar moed in te praten:
'Doe gewoon je best.' We vormden een cirkel en omarmden
elkaar, maar Marybeth wilde ons niet loslaten. Uiteindelijk
kwam er een bewaker die haar wegvoerde; we hoorden hoe
ze naar adem hapte, totdat de deuren van de lift dichtgingen.

Aan de overkant van de weg is een raam knipperend tot
leven gekomen. Er is een man wakker, net als ik. Hij stapt
door zijn kleine kamer in zijn pyjama – dezelfde kleur als
die van ons, ziekenhuisblauw. Ik wil dat hij me ziet, dus ga
ik voor mijn raam staan. Hij ziet me, loopt naar zijn raam
en wuift zwijgend. Ik wuif terug. We zijn praalwagens, die
elkaar passeren in een optocht.

Als we arm waren geweest en ik was overleden, zou mijn
echtgenoot daar nu zitten, wachtend tot iemand hem wilde.
Wat raar om je daar zorgen over te maken, terwijl we elkaar
met zoveel overtuiging wilden. De meeste mensen bereiken
de vrijgestelde leeftijd voordat hun partner overlijdt en zij
mogen simpelweg alleen verder leven. Wie wil ze immers?
Idealiter trouw je met de man van wie je houdt en blijf je
voor altijd bij hem, je maakt samen al het denkbare mee,
omdat je ervoor hebt gekozen het samen mee te maken.

Maar hierop had ik mezelf niet voorbereid. Had hij dat
wel gedaan? Had mijn echtgenoot een deel van zichzelf afgeschermd, zodat hij het aan een ander kon geven, mocht

dat nodig zijn? Was het mogelijk dat ik iets van mezelf had achtergehouden, zonder het te beseffen? Ik hoopte van wel.

Ik keek rond in mijn kleine kamer van flets roze geschilderde betonblokken, het bureau te groot voor het ongelezen bibliotheekboek dat erop ligt. Ik had een foto van ons verstopt onder mijn matras. Het was zo'n foto die stelletjes nemen, als ze alleen zijn op een speciale plek, op een moment dat ze zich willen herinneren. We hielden onze hoofden dicht bij elkaar en mijn echtgenoot strekte zijn arm met de camera uit en drukte af. We zien er vervormd en extatisch uit. Op een nacht viel ik in slaap terwijl ik naar de foto keek; hij viel op de vloer, werd gevonden toen ze me wekten en werd geconfisqueerd. Ik kan nog steeds niet geloven dat ik zo onvoorzichtig ben geweest.

In bed stel ik me voor dat mijn echtgenoot naast me ligt, de rubberen matrashoes opwarmt, onder het dunne laken ligt waaronder zoveel vrouwen vóór mij hebben geslapen. Mijn hoofdhuid tintelt als ik eraan denk hoe hij die krabbelde. We wrijven onze voeten tegen elkaar. En dan moet ik me voorstellen hoe hij oplost in de lucht als in een sciencefictionfilm en verdampt, korrelig en kleurloos, op weg naar een andere planeet. Het laken houdt nog even zijn vorm vast, voordat het terugzakt op het bed. Ik oefen om niets te voelen.

Een paar vrouwen van andere verdiepingen zijn gekozen en zullen morgen vertrekken. Ik ruik sneeuw in de lucht die binnenwaait door een kier in de isolatiefolie. Het einde van de herfst maakt plaats voor de winter. Als het te koud wordt, mogen we niet naar buiten. Ik zou alles willen geven om door een veld te rennen, zonder te stoppen. Ik ben nooit het type geweest dat graag door velden rende.

Het lijkt bitterzoet om gekozen te worden. Ik stel me
voor dat velen van ons het helemaal niet erg zouden vinden
om onze dagen te slijten in het opvanghuis, in gezelschap
van vrouwen als wij. Maar goed, er zullen ook andere vrouwen komen, afgezien van ons. De vrouw die Marybeths oude kamer betrok, hield ervan om vechtpartijen te beginnen.
Ze zei tegen mij dat mijn muffins droog waren. En duwde er
een plat op mijn gezicht; hij verkruimelde tussen haar vingers. Ze sloop de kamer van lieve Laura binnen en knipte
met een veiligheidsschaar een stuk van haar lange, glanzende haar af. Laura moest noodgedwongen een boblijn laten
knippen, die haar niet stond. Gelukkig was deze vrouw erg
mooi en werd ze al na vier dagen gekozen. We wachten nog
op degene die haar zal vervangen. Hoewel gekozen worden
onzekerheid met zich meebrengt, lijkt de onzekerheid groter als je onder de vrouwen blijft, een gevoel waar ook het
handboek melding van maakt.

Er is iets heel bijzonders gebeurd. Ik heb mijn raamvriend
ontmoet. Hij kwam samen met de anderen uit het mannenopvanghuis bij ons langs voor de bingo. Dit gebeurt af en
toe. Zo blijft iedereen sociaal vaardig.
Ook al worden we gescheiden door een brede weg als we
naar elkaar zwaaien, toen hij binnenkwam herkende ik hem
meteen: zijn donkere haar, de vorm van zijn voorhoofd. De
nachten waarop we naar elkaar zwaaien zijn belangrijk voor
mij geworden. Het is fijn om gezien te worden door een man.
Mijn raamvriend zag me ook, bleef in de deuropening
staan en zwaaide. Ik zwaaide terug en we lachten. Een kleine, verboden zindering welde op in mij.
Hij kwam naast me zitten. Van dichtbij vond ik hem knap.

17

Hij klierde wat, duwde de bingofiches van mijn kaart als ik niet keek. Hij was nerveus.

Hij zei: 'Ik ga je tien flauwe moppen op rij vertellen,' en dat deed hij ook, terwijl hij op zijn vingers meetelde en me geen tijd gaf om te lachen, waardoor ik nog harder moest lachen. Een bewaker bekeek ons afkeurend. We hadden te veel lol samen. Ik neem aan dat het vanzelfsprekend is dat relaties tussen bewoners van de opvanghuizen verboden zijn. Ik bedoel, hoe kun je het samen redden in de wereld, als je beiden op een plek als deze bent aangeland?

Aan het einde van de avond klonk er een fluit en schuifelden de mannen naar buiten. Mijn raamvriend ging voor me staan, zwaaide naar me en ik deed hetzelfde. Maar deze keer duwde hij zijn geopende hand tegen de mijne. Ik merkte dat we beefden als dieren, die ontdekt zijn op een plek waar ze niet horen te zijn en noch tijd hebben om te vluchten, noch een plek om heen te vluchten.

De volgende avond kleedde ik me, nadat we hadden gezwaaid, uit voor het raam, het licht fel brandend achter me. Hij legde zijn handen tegen zijn raam, alsof hij dichterbij wilde komen, en keek.

Vanavond brandt zijn licht niet, dus kunnen we niet naar elkaar zwaaien, maar toch kleed ik me uit voor mijn raam. Ik weet niet of hij me bekijkt vanuit het duister, of dat er iemand anders kijkt. Ik hield van mijn echtgenoot. Ik rouw om zijn tederheid. Ik moet gewoon geloven dat er iemand daar buiten is die tederheid voor mij voelt. Op welke manier dan ook.

Ik ben overgeplaatst naar een andere verdieping. Iemand uit het mannenopvanghuis heeft me verlinkt en mijn begeleidster vond het beter dat ik een kamer aan de achterkant van het gebouw kreeg. Nu kijk ik uit over de luchtplaats.

Dagenlang doe ik alsof ik ziek ben en blijf ik in bed liggen. Ik hoor de groepen vrouwen tijdens hun activiteiten buiten. Het is een terugkerend patroon van gelach, gekibbel, tellen tijdens gymoefeningen en beladen stilte.

Als ik me eenmaal weer buiten waag, word ik omhelsd door de vrouwen van mijn oude verdieping en we proberen te praten als voorheen, maar toch is het anders. Een paar vriendinnen zijn gekozen en vertrokken. Er zijn wat nieuwe vrouwen. Zelfs eentje in plaats van mij; zij woont in mijn kamer en kijkt uit over de weg, naar het mannenopvanghuis en mijn raamvriend. Zelfs haar naam lijkt op de mijne. Ze vertelde me dat de vrouwen zich soms versp reken en haar met mijn naam aanspreken. Ze vertelde me dit om me te troosten, met een sympathiek klopje op mijn arm. Maar het helpt niet. Is er wel verschil tussen ons, afgezien van een paar letters in onze namen?

Ze geven me wat koekjes of andere lekkernijen die ze bakken, hoewel die altijd een paar dagen oud zijn en kruimelig en droog; niet de warme, verse traktaties waarvan ik zo genoot. Ik gooi ze sinds kort weg, maar dat zeg ik niet tegen hen, omdat ik het fijn vind dat ze nog steeds aan me denken.

De vrouwen op mijn nieuwe verdieping zijn vooral bezig met ontsnappen. Ze zijn volhardend. Ik vind hun wens om te ontsnappen angstaanjagend. Maar er zijn ook twee aardige vrouwen. Zij proberen niet te ontsnappen, voor zover ik heb gehoord tenminste. Onze manier om hier weg te komen, is gekozen te worden. Dus wisselen we tips uit, afkomstig uit de verschillende folders die we hebben gelezen. Bakken doen we niet.

Het alarm gaat af.

Het gaat als er iemand ontsnapt.

Schijnwerpers vegen over het braakliggende terrein, schijnen dan op mijn raam. Ik hoor honden janken, terwijl ze hun neus volgen door de nacht, in het spoor van de een of andere vrouw. Vreemd genoeg duim ik voor haar. Misschien slaap ik nog half, maar als ik uit mijn raam kijk, denk ik dat ik haar zie. Terwijl de lichten de woestenij tussen de luchtplaats en het bos afspeuren, zie ik een schaduw die snel beweegt, met iets wat lijkt op haar dat erachteraan zwiept, amper in staat het lichaam waarbij het hoort bij te houden.

Er is geen enkele schuilplaats tot aan de rand van het bos. De renner moet een flinke voorsprong hebben. Ik betwijfel of ze die had. Die lijken ze nooit te krijgen. En toch proberen ze het steeds. Wat zoeken ze toch? Het is koud en donker, daarbuiten. Geen enkele garantie dat je voedsel of geld of comfort of liefde zult vinden. En zelfs als er iemand op je wacht, dan nog is het riskant om daarop te vertrouwen. Stel dat mijn raamvriend en ik samen wegrennen. Zou hij buiten het opvanghuis ook nog van mij houden? Kan ik daarop vertrouwen? Ik ken hem amper.

Ik zie mezelf wegrennen. Mijn nachtjapon achter me bollend in de wind, mijn haar dat langzaam loskomt uit mijn vlecht terwijl ik voortren. Uiteindelijk is mijn haar los en vrij. Ik hoor honden achter me. Ik zie de donkerte van het bos voor me. Vanaf de andere kant van het braakliggende terrein rent een figuur op me af. Ik ben niet bang. Hij is het. Mijn vriend. We hebben dit voorbereid. We rennen zodat we samen kunnen zijn, als we eenmaal het bos hebben bereikt. Ik voel hoop, omdat ik over de woestenij ren, op weg naar iets wat ik wil, en ik kan me niet herinneren wanneer ik dit gevoel voor het laatst had. En plotseling weet ik waarom de vrouwen ontsnappen.

Ik betrap mezelf erop dat ik huil, als ik aan het einde van deze fantasie ben gekomen, dus schrijf ik haar op, in een brief aan mijn vriend. Ik schrijf het als een voorstel, hoewel ik niet zeker weet of het dat wel is. Ik wil gewoon weten of hij ervoor in is. Het is een andere manier om te vragen of hij – als we niet allebei arme stumpers waren geweest – mij zou kiezen. Ik weet niet waarom, maar het is belangrijk. Ik wil het wanhopig graag weten. Misschien ben ik veranderd. Het handboek stelt dat we, om werkelijk verder te kunnen gaan, moeten veranderen. Maar deze verandering voelt eerder als een inzinking. En dat is niet hoe het handboek het omschrijft.

Ik doe mijn raam open en de wind kleurt mijn wangen roze. Fijn. De wind voert de geuren mee van de woestenij, zelfs die van de bomen. Het ruikt goed daar, verder nog dan ik kan zien. De honden zijn nu stil. Misschien heeft de renner het gered. Ik schud mijn hoofd in de nacht. Ik weet dat het niet zo is.

Mijn raamvriend is verdwenen. Ik wil mijn afwezigheid verklaren, vertellen dat ik ben overgeplaatst, terwijl ik discreet de brief in zijn zak laat glijden. Ik zie hem niet. Een andere man loopt achter me aan, probeert mijn hand te pakken; hij fluistert dat hij verborgen rijkdommen bezit, waar niemand weet van heeft. Uiteindelijk komt een bewaker van het mannenopvanghuis tussenbeide en pakt de man bij zijn arm. Ik vraag waar mijn vriend is, en hij blijkt gekozen te zijn. De bewaker zegt dat hij een paar dagen geleden is vertrokken. Ik vraag hoeveel dagen precies. 'Twee nog maar,' zegt hij nogal schaapachtig. Ik ben er kapot van. Ik zeg: 'Twee dagen is niet een paar dagen,' en ga terug naar mijn kamer. Die is in een opgewekte tint geel geschilderd, die ik haat. Het bureau is nog groter en leger, nu ik niet langer doe alsof ik boeken lees. De schijnwerpers bij de luchtplaats branden nog. Ze schijnen de hele nacht door mijn raam naar binnen.

De volgende dag sleep ik me naar de kantine voor de lunch, maar ik krijg geen hap door mijn keel. Ik speel met mijn eten, totdat de kantine helemaal leeg is. Dan word ik bij mijn begeleidster geroepen. Ze trekt haar wenkbrauwen op, dwingend. Ze maakt een map open met daarin de brief die ik aan mijn raamvriend schreef. Ik had hem onder mijn matras verstopt. Het lukt me niet eens verbaasd te reageren. Natuurlijk zouden ze die brief vinden.

'Ik was niet echt van plan te ontsnappen,' zeg ik. 'Het was gewoon een fantasie.'

'Dat weet ik.'

Ze schuift de brief naar me toe.

Ik lees hem. Mijn handschrift is slaapdronken en krullend. Het papier is versleten. Ik schreef veel en herlas het obsessief om te zorgen dat het precies goed was. Nu ik het weer lees, moet ik blozen. Ik smeek, in de brief. Mijn toon is bijna hysterisch. Ik beloof dat we een huis zullen vinden, een leegstaand huis in de bossen, jaren geleden verlaten. Dat we voedsel zullen zoeken, maar dat we uiteindelijk werk zullen vinden, hoewel alle banen bezet zijn. Ik hou vol dat wij wel geluk zullen hebben. We zullen een gezin stichten, in een huis met een tuin wonen. Hij krijgt een mooie auto en ik kan mooie spullen kopen. We nodigen vrienden uit voor diners. We gaan elk jaar op vakantie, al is het dan een eenvoudige. We stellen nooit meer iets uit wat we werkelijk willen doen, of iets wat we nu willen, zoals kinderen. We maken nooit meer ruzie over onbenullige dingen. Ik zal nooit meer wrok koesteren en hij zal zeggen wat hij voelt, in plaats van zijn schouders op te halen. Ik zal me niet meer onverantwoordelijk gedragen. Ik zal geen beddengoed kopen dat we ons niet kunnen veroorloven. En ik zal leuker zijn. Ik zal niet meer de pret bederven. Ik zal niet meer eisen dat hij vertelt waar we heen gaan, terwijl hij me alleen maar wil verrassen. Ik zal nooit meer iets koken wat hij niet lekker vindt, omdat ik vind dat hij het lekker moet vinden. Ik zal de kleine klusjes niet meer vergeten, zoals kleding ophalen bij de stomerij of de bladeren in onze tuin aanharken.

Ik schrijf natuurlijk aan mijn echtgenoot.

De brief leest alsof we ruzie hebben en hij naar buiten is gestormd, om de nacht bij een vriend op de bank door te brengen. Dit is mijn liefdesbrief, mijn excuusbrief: kom alsjeblieft weer thuis.

Ik kijk op.

'Wees verstandig,' zegt mijn begeleidster, niet onvriendelijk. 'Ik kan je naam op geen enkele lijst zetten, totdat je laat zien dat je verder kunt gaan.'

'Maar wanneer moet ik dan rouwen?'

'Nu,' zegt ze, alsof ik wilde weten welke dag van de week het is.

Ik denk aan de man aan de overkant van de weg, mijn raamvriend. Maar ik kan me niet eens herinneren hoe hij eruitziet. Ik probeer me hem voor te stellen in zijn kamertje, maar de enige die ik zie is mijn echtgenoot, in zijn geruite pyjama en op zijn zachte pantoffels. Hij wuift, kort en spookachtig. Ik zie aan zijn schouders dat hij genoeg verdriet voor ons beiden heeft.

Een paar weken lang sta ik mezelf verwennerijen toe. Ik schraap de restjes van andere vrouwen op mijn bord. Ik eet de traktaties van mijn oude verdieping, hoewel ik ze niet lekker vind. Ik ruil spullen voor snacks met ruigere vrouwen, die het op de een of andere manier is gelukt een geheim handeltje in eten op te zetten. Mijn broek past me niet meer. Uiteindelijk grijpt mijn begeleidster in. Ze zegt dat het waarschijnlijk geen goed idee is om mezelf af te laten glijden, ook al leven we dan in progressieve tijden. Ze geeft me wat folders en een nieuwe oefening die ik moet doen en dat is, letterlijk, een oefening. 'Zorg dat je hartslag omhooggaat,' zegt ze en ze knijpt in de vetrol boven mijn heup.

Ik weet dat ze gelijk heeft. We gaan allemaal anders met onze situatie om. Sommige vrouwen huilen 's nachts. Anderen worden pestkoppen. Weer andere bakken. Sommigen leven het ene leven, terwijl ze dromen van een ander. En sommige vrouwen rennen weg.

Elke avond opnieuw klinkt het alarm, zijn er de honden, de lichten. 's Ochtends kijk ik wie er verwilderd uitziet, alsof ze een paar uurtjes over het braakliggende terrein heeft gerend, en daarna weer gevangen is. Ik kijk ook of er iemand ontbreekt. Stiekem hoop ik nog steeds dat zij, wie ze dan ook was, het heeft gered en ik voel mijn nieuwsgierigheid kriebelen bij de gedachte aan zo'n leven. Maar het zijn slechts kriebels. Geen motivatie. Ik heb niets om naartoe te rennen. Wat ik wil, krijg ik niet. Mijn echtgenoot is er niet meer. Maar terwijl ik eraan werk om los te komen van hem, zijn er andere manieren om me gelukkig te voelen. Dat heb ik in het handboek gelezen. Ik ben bereid ze uit te proberen. Mijn begeleidster zegt dat dit gezond is.

Na acht maanden in het opvanghuis voor weduwen en andere ongewenste vrouwen, word ik gekozen. Mijn begeleidster is trots op me.

'Acht maanden is een heel respectabele termijn,' zegt ze met nadruk.

Ik moet blozen van het compliment.

'Het breien hielp,' merkt ze op, in stilte de eer opstrijkend, want zij stelde dit voor.

Ik knik. Hoe het me ook is gelukt, ik ben blij dat ik een nieuw thuis krijg.

Mijn nieuwe echtgenoot heet Charlie en woont in Tucson. Het eerste wat hij van mijn bruidsschat kocht, was een nieuwe flatscreen-tv. Maar meteen daarna kocht hij een horloge voor mij, met een smal, zilveren bandje en een diamantje in plaats van het cijfer twaalf.

Mijn Plaatsingsteam neemt me mee naar een cafetaria aan de rand van de stad, waar Charlie achter een bord pannenkoeken op me wacht. Hij heeft meisjeshanden, maar verder is hij wel oké. Het team stelt ons aan elkaar voor en vertrekt, zodra er wat papieren zijn ondertekend. Charlie verwelkomt me met een voorzichtige omhelzing. Hij gebruikt dezelfde aftershave als mijn man. Ik weet zeker dat dit toeval is.

Ik ben zijn tweede vrouw. Zijn eerste zit in een opvanghuis aan de weg die op de snelweg rondom Tuscon uitkomt. Hij zegt dat ik me geen zorgen hoef te maken. Hij was niet degene op wie hun huwelijk stukliep. Dat was zij. Ik knik. Ik zou graag een vel papier hebben, zodat ik aantekeningen kan maken.

Hij vraagt hoe ik over kinderen denk, iets waarover hij zeker heeft gelezen in mijn dossier. Ik zeg dat ik altijd al kinderen wilde. 'Dat waren we ook al van plan,' zeg ik. Er valt een ongemakkelijke stilte. Ik heb nu al een regel geschonden. Ik bied mijn excuses aan. Hij geneert zich, maar zegt dat het goed is. 'Het is iets natuurlijks, vind je niet?' gaat hij verder en hij glimlacht. Hij lijkt bezorgd dat hij een slechte indruk maakt en dat waardeer ik. Ik schraap mijn keel en zeg: 'Ik zou het leuk vinden om kinderen te krijgen.' Hij lijkt blij dat te horen. Hij roept de serveerster en zegt: 'Breng mijn nieuwe vrouw alles wat ze wenst.' Zijn gretigheid heeft iets wat ik charmant zou kunnen vinden, denk ik.

Ik ben er nog niet klaar voor. Maar ik heb gehoord dat ik me op een dag amper zal herinneren dat ik mijn eerste echtgenoot ooit heb gekend. Ik zal me hem voorstellen op een vol strand, helemaal in de verte. Iedereen op het strand zal er gelukkig uitzien. Er is iets aan hem wat mijn blik vangt, maar niet het feit dat hij zwaait, zijn glimlach of die specifieke krullen in zijn haar. Het zal iets zijn wat ik niet met hem in verband breng. Het patroon van zijn zwembroek, bijvoorbeeld: felgekleurde strepen, rode bloemen of misschien een ruitpatroon. Ik zal iets denken in de trant van: wat een mooie kleur voor een zwembroek. Wat steekt die kleurig af tegen het beige zand. En dan richt ik mijn aandacht op de brekende golven of op een paar kinderen die een zandkasteel bouwen, en daarna denk ik nooit meer aan hem. Ik kijk niet uit naar die dag. Maar ik loop er ook niet voor weg. Zoals het handboek zo vaak stelt: dit is mijn toekomst. En het is de enige die ik krijg.

Hoe het Einde der Tijden zou moeten verlopen

Er drijft een man rond een van mijn Dorische zuilen. Ik koos deze zuilen vanwege hun eenvoud, hun kracht. Ik stelde me voor dat mensen omhoogkeken naar mijn huis, hun stad weerkaatsend in de donkere glas-in-loodramen, de klassiek Griekse proporties ondersteund door een eenvoudig, democratisch ontwerp. Smaakvol. Geen tierlantijnen. Ik walg van Ionische zuilen. Korinthische zuilen keur ik geen blik waardig.

De arm van de dode dobbert raar op het water, asynchroon met de rest van zijn lichaam. Hij is waarschijnlijk uit de kom geschoten. Misschien wel meer dan dat, maar ik voel er niets voor om het uit te zoeken. Een bruine meeuw doet zijn behoefte op zijn oogkas.

De man komt me niet bekend voor, dus ik denk niet dat hij een van de mannen is die ik heb weggestuurd.

In het begin, toen de wereld begon te overstromen, vertrokken de mannen die aan mijn deur om giften vroegen respectvol als ik nee zei. Ze hadden het eerder overleefd en dat zou hun weer lukken. Er waren nog andere opties. Er waren nog droge kolonies, met huizen om in te schuilen. Ze lagen als vlekken in de stijgende zee. Nu zijn ook die kolonies ondergelopen, de meeste bewoners ervan zijn verdronken. Alle overlevenden zijn wanhopig.

27

Een paar dagen geleden klopte er een man op mijn deur, gekleed in wat eens een behoorlijk mooi pak was geweest. Het was nu verpest, de mouwen wapperden gescheurd als feestslingers aan zijn schouders. Zeezout gaf zijn gezicht een spookachtige aanblik. Wat zand, of een kokkel wellicht, kleefde aan zijn hals. Een blauwe krab verstopte zich onder zijn handgestikte revers. Maar wat me vooral opviel, was zijn losgetrokken das, want die was zeer zeker van een bekend designermerk – een soort van damastpatroon, maar niet traditioneel. Uiteraard veranderen alleen designers traditionele patronen. Daarom betaalden we er zo goed voor. We betaalden voor innovatie.

Deze man, in zijn mooie pak, vroeg om voedsel en water, probeerde me vervolgens te wurgen, wist zijn tranen met moeite te bedwingen, bood zijn excuses aan, vroeg of ik hem binnen wilde laten en probeerde me, toen ik dat weigerde, opnieuw te wurgen. Nadat ik hem naar buiten had gewerkt, ging hij op mijn veranda zitten huilen.

Ik ben natuurlijk gewend geraakt aan deze interrupties, hoewel het wurgen nieuw is.

Ik kan het hun niet kwalijk nemen. Als ik me niet had voorbereid, zou ik ook wanhopig zijn geweest. Ze komen aan mijn deur, zien dat ik schoon ben, zijn verbijsterd over mijn verlichting, gevoed door een generator. Ze voelen aan dat ik kamers vol proviand heb, dat mijn bediendeverblijf gevuld is met flessen water, dat er kubieke meters hout opgestapeld liggen in de fitnessaanbouw en dat de garage vol benzine staat. Ze lonken naar mijn weldoorvoede buik. Ik ben droog. Zij generen zich, zijn smerig, stinken naar vis. Ze stappen weer op hun drijfhout, of wat ze dan ook gebruiken om hun hoofd boven water te houden, en peddelen verder, naar mijn buurman. Als ik hun was, zou ik iemand die droog in de deuropening van een mooi huis stond meteen opzijduwen. Ik zou het niet zo snel opgeven. Maar deze mannen zijn niet zoals ik. Om te beginnen zijn ze vreselijk zwak, omdat ze niets te eten hebben. Maar toch. Deze verandering bevalt me niet. Ik mis de dagen van weleer toen ze, alhoewel ze kwamen bedelen, nog steeds hoffelijk waren en begrepen dat ze alleen door hard werken succes zouden oogsten. Ik moet voortaan een mes meenemen, als ik de deur opendoe.

Het gebeurde precies zoals ze hadden voorspeld. Dingen gebeuren nooit zoals is voorspeld. Dat ik het mocht meemaken voelde bijzonder, om eerlijk te zijn. Alsof je de voorpagina haalt. *We schrijven geschiedenis!*

Het huis van mijn buurman staat er nog steeds en aan de overkant van een meertje, kolkend van de opgesloten geraakte vissen en onvoorbereide mensen, is nog een groepje huizen overgebleven, misschien vier in totaal. Dag en nacht hangen mensen uit de ramen, ze schreeuwen en zwaaien met witte lakens. Wat is dat voor een boodschap? We geven ons over? Aan wie? Ik wil wedden dat ze geen voedsel of water hebben. Het huis van mijn buurman kraakt onder alle extra mensen die zich erin hebben geprop. In elk van de tien slaapkamers woont wellicht een klein dorpje aan nieuwe daklozen. Ik heb hem gezegd dat hij zich moest voorbereiden. 'Ik weet dat dit raar klinkt,' zei ik. We konden het niet altijd goed met elkaar vinden, maar ik vond het mijn plicht, als buurman. Je zou denken dat hij dankbaar was. Maar in plaats daarvan zorgt hij dat ons laatste stukje hemels land overbevolkt raakt met klaplopers. Als ik de ramen openzet, kan ik het huis ruiken, de overbelaste toiletten en de hoeken, doordrenkt met pis. De ondiepe gracht tussen onze huizen, waarvan het waterpeil gestaag stijgt, ligt vol uitwerpselen. Het tij spoelt wel wat weg, maar er komt altijd weer meer bij.

Vroeger had ik een brief op poten in zijn brievenbus gestopt om deze of gene burenkwestie aan te kaarten. De postbode heeft me eens gewaarschuwd dat het voor anderen dan postbodes verboden is om post in brievenbussen te stoppen. 'Het is gewoon een briefje,' probeerde ik, toen ze het terug wilde geven. 'Vind je ook niet dat de heg gesnoeid moet worden?' Ze staarde me onverzettelijk aan, hield de brief omhoog tussen ons in. 'Waarom kun je het briefje niet gewoon daar laten, voor hem?' snauwde ik. Ik gooide de deur voor haar neus dicht en de volgende ochtend vond ik de brief tussen mijn eigen post, in mijn eigen brievenbus. *Alleen ik mag dit in een brievenbus stoppen en dat vertik ik!* had ze nukkig op de envelop gekrabbeld.

Door het raam van mijn huiskamer zie ik dat zijn lange trap, met de gewaagde, houtgesneden ananassen op de balustradespijlen, vergeven is van mannen, vrouwen en kinderen. De manier waarop ze over elkaar heen liggen, suggereert dat er op elke trede een heel gezin ligt. Een jongen bungelt aan de stoffige kristallen kroonluchter. Ik zie hoe een oude vrouw over de balustrade tuimelt, als ze probeert zich een weg te banen door deze spiraalvormige sloppenwijk. Jammer. Maar je kunt niet iedereen binnenlaten. Er zou geen einde aan komen.

Ik haal mijn vinger over de schoorsteenmantel. Dode huidcellen, binnengewaaide as. Jammer dat de schoonmaakster waarschijnlijk is omgekomen.

Er klopt iemand op mijn deur, eerder volhardend en boos dan timide en bedelend. Ik grijp het keukenmes.

Op mijn veranda houdt een man zich staande door zich aan mijn deurklopper vast te klampen. Zijn pezige spieren staan op het punt zich van zijn botten los te scheuren. Zijn gezicht is ongeschoren, verwaarloosd. Hij heeft het magere lichaam en de bolle toet van een dronkenlap en als ik de deur opentrek, houdt hij de klopper vast en valt hij naar binnen, met zijn gezicht plat op het oosterse tapijt in mijn hal.

'Whiskey,' kreunt hij en hij grijpt naar een denkbeeldig whiskeyglas.

Ik denk erover om hem in zijn handpalm te snijden, maar er is iets aan hem wat ik leuk vind. Zijn verzoek is origineel. Hij probeert het tenminste.

Op de plek waar mijn oprit zich splitste tot een grote lus, zijn de golven verpulverend: ze kolken, vermalen troep en stukken vis. Maar de golven in de verte zijn hoog en glad; ze bedekken de stad waarover ik vroeger uitkeek. Ze komen aangerold als lakens die in de wind drogen en ik kan hun branding voelen.

Ik dacht niet dat beukende golven me ooit zouden vervelen, maar ze gaan maar door. Ze houden je aandacht gevangen, net als iemand die maar niet kan ophouden met hoesten. Ze werken op je zenuwen. Het zou fijn zijn om voor de verandering naar iets anders te luisteren. Maar ik ben mijn muziek zat.

Ik zou het niet moeten doen, maar ik schop zijn voeten in de richting van een versierde paraplustandaard, trek zijn hele lijf naar binnen en doe de deur op slot. Hij wil whiskey? Ik drink het niet graag en ik heb whiskey in overvloed. Trouwens, ik heb mezelf altijd graag omringd met drinkers. Ze zitten vol verrassingen.

De man – hij gromt dat hij Gary heet – neemt niets van

het stapeltje crackers dat ik hem aanbied, gooit ze als dobbelstenen over de tafel en schenkt morsend nog een glas vol.

'IJs,' brabbelt hij.

Ik schud mijn hoofd. De koelkast staat uit. Mijn eten komt uit blik. En de whiskey die ik schenk, laat zich het best genieten *sans* ijs.

Hij is zo op zijn gemak in zijn benevelde toestand. Hoewel hij drijfnat aankwam, zou het me niet verbazen als hij me vroeg wat er aan de hand is, met al dat water.

Hij draagt nu een van mijn maatpakken, voor mij gemaakt tijdens een buitenlandse reis. Het zit mij wat krapjes, maar het hangt om hem heen alsof hij een kleerhanger is. Ik voel geen schaamte. Ik leid een goed leven.

Ik maak een lijstje met klusjes voor hem, dat is opgesteld als een contract.

'Als je hier wilt wonen, moet je ervoor werken,' zeg ik en ik schuif het naar hem toe, ter ondertekening. Hij zet zijn krabbel zonder het te lezen. Onverantwoordelijk.

Dus lees ik het contract voor. 'In dit contract is vastgelegd dat Gary, in ruil voor kost en inwoning, het huis zal bewaken en eventuele bedelaars en indringers voor zijn rekening zal nemen. Hij moet de emmers vullen met zeewater als deze leeg zijn, zodat we onze toiletten kunnen doorspoelen als beschaafde mensen. Hij moet elke avond onze lege blikjes, flessen en overgebleven voedsel via de achterdeur naar buiten gooien, zodat het hier niet gaat stinken. Hij moet de eigenaar wekelijks helpen met schoonmaken. Hij moet alle andere taken uitvoeren die de eigenaar van hem vraagt.'

Er zijn genoeg lege kamers waarin hij zou kunnen wonen, maar het is mijn huis. Dus maak ik de eerste avond een slaapplek voor hem op de tweezitsbank in de studeerkamer, met mooie lakens en een kussen gevuld met ganzendons. Hij krult zich op en houdt één oog open terwijl hij slaapt, met een voet op de salontafel en zijn andere been gebogen, in een perfecte rechte hoek, met zijn voet plat op de vloer, klaar om ... klaar om wat? Weg te rennen? Hoewel het water steeds dichter naar het huis kruipt, weet ik zeker dat dit niet de reden is.

De huizen die verderop lagen zijn verdwenen. Waar eerder talrijke, haveloze gezinnen verbleven, zie ik nu water, vlak als een prairie, met een horizon die soms vervaagt door een straal water, omhooggespoten door een walvis. De schittering van het water is fel, alsof je recht in de zon kijkt.

Ik zie hoe mijn buurman voorzichtig over de slapende lichamen stapt in zijn opvangcentrum voor zwervers, aan de andere kant van de gracht. Hij draagt een versleten kamerjas, zijn baard is lang en slordig. Ik kan hem bijna ruiken.

Ik vang zijn blik en imiteer een verdronkene, met dobberende ledematen, hoofd, tong die naar buiten hangt en wijs waar de huizen eens stonden. Hij kijkt, wrijft in zijn ogen, stort dan op zijn knieën. Enkele criminelen die hij binnen heeft genood nemen de gelegenheid te baat om hem te beroven. Hun handen glijden over hem heen, graven in de zakken van zijn kamerjas, zoeken in zijn haar, terwijl hij schuddend huilt. Er wordt iets onder zijn arm vandaan getrokken en ze verdwijnen zo snel dat het lijkt alsof ze er nooit zijn geweest. Ik huiver. Mijn buurman is groter dan ik, en sterker. Wat zou er van mij worden als ik honderden mensen in mijn huis zou proppen? Er zou geen eten meer overblijven. Ik zou uit mijn slaapkamer worden verjaagd. Ik zou zelfs vermoord kunnen worden. Alweer ben ik dankbaar dat ik Gary heb. Hij vraagt niets van me, afgezien van wat whiskey, en hij heeft de bouw van een weltergewicht of een dief: klein en pezig, een beweeglijk type dat je in een houdgreep kan nemen, voordat je zijn aanraking zelfs maar bespeurt.

Als mijn buurman de tranen uit zijn ogen veegt, haal ik vol mededogen mijn schouders op. Maar hij schudt zijn hoofd, diep teleurgesteld, alsof ik degene ben die hem zojuist heeft beroofd; alsof ik het water ben dat die huizen heeft weggevaagd.

En dat terwijl ik dacht een goede buur te zijn.

Tenzij hij 's nachts naar de pantry sluipt, betwijfel ik of Gary sinds zijn komst ook maar een kruimel heeft gegeten. Ik zie geen afname van mijn voorraden, afgezien van de whiskey, die al voor de helft op is. Ik heb altijd geweten dat sterkedrank levensreddend is, dus echt verbaasd ben ik niet. Op een avond kruimelde ik wat crackers in een halfvolle fles om te zien hoe hij op voedsel zou reageren, maar hij brulde en smeet de fles kapot tegen de marmeren eettafel. Het geluid was verfrissend. Normaal is het constante geruis van de zee om ons heen het enige wat je hoort. Soms hoor ik 's nachts verdwaalde futen, die roepen in de hoop soortgenoten te vinden, of mensengeschreeuw van de boten vol overlevenden die een aanlegplek, een toevluchtsoord zoeken. Hun stemmen verplaatsen zich vlak boven het water en raken verstrikt tussen de muren van mijn slaapkamer. Soms hoor ik muziek in het huis van mijn buurman. Niet vaak. Meestal is het oninteressant, maar af en toe wordt er een piano gestemd en begeleid door een piepend snaarinstrument. De mensen stampen met hun voeten en joelen. Het is rustiek. Op een avond hoorde ik een aarzelende bruiloftsmars en ik stelde me de bruid voor, in een jurk van aan elkaar gespelde witte handdoeken, die zich een weg baande door de menigte om zich bij haar bruidegom te voegen; twee mensen, wanhopig op zoek naar wat ze voor liefde houden, vóór het grote einde – het was moeilijk om er niets bij te voelen.

Gary hoort niet altijd alle geluiden, of mijn stem als ik tegen hem praat. Hij slaapt ongestoord, te hooi en te gras, als een huisdier. Ik vind het prima. Als ik hem nodig heb, is hij een geweldige bodyguard. Als er geklop door het huis galmt, stuur ik hem naar de deur met de opdracht om de smekende mannen in hun maag te stompen. En dat doet hij. Ze vallen achterover door de klap en hij gooit de deur dicht. Op een keer klopte een vrouw aan, helemaal voorovergebogen en Gary aarzelde, keek me erbarmelijk aan. Ik haalde mijn schouders op. De meeste zwerversbendes sturen de mannen, uit respect, maar deze was kennelijk wanhopig. Ze hoopten dat we een vrouw anders zouden behandelen. Ik zag twee gespannen figuren in een schimmige roeiboot, net onder de zuidvleugel van het huis. Wat zou Gary doen? Sommige mensen houden vast aan oude normen. Ik niet. Maar ik kon een man als Gary niet iets laten doen waar hij zich niet goed bij voelde. Hij is integer. Ik wees naar mijn knie. Hij schopte halfslachtig tegen de hare en ze zakte in elkaar. Voorzichtig sloot hij de deur. Ik hoop dat hij voelt dat dit ook zijn huis is.

Gary vindt het goed dat ik hem scheer. Hij zit op de rand van mijn badkuip en doet een dutje, terwijl ik zijn gezicht bedek met warme handdoeken, waarna ik zijn hals en gezicht inzeep. Ik spoel het scheermes schoon in een zilveren kom vol Evian. Hij begint meer en meer op een zakenman te lijken; zijn grijze slapen verlenen hem het air van een topman. Hij draagt mijn pakken – marineblauw, houtskool, begrafeniszwart – en soms doe ik hem een das om. De dassen zijn kleurvlekken op zijn landschap. De wereld buiten bestaat helemaal uit donker water, wolken en de nacht, be-spikkeld met verbleekt plastic afval, kleding van de doden, de rode stenen van het huis van mijn buurman. Een beetje kleur doet Gary's ogen goed uitkomen.

Ik laat hem alleen, zodat hij zich kan wassen, en even later valt hij door de deuropening van de badkamer en botst tegen de kledingkast. Hij is gevaarlijk beneveld en maar half aan-gekleed.

Hij knielt voor mijn leesstoel en steekt een vieze vinger in mijn mond, die mijn kaak naar beneden trekt. Ik ben verbijs-terd en sta het toe. Hij streelt de holtes van mijn kiezen. Ik proef zuur zout.

'Waar is jóuw goud?' vraagt hij onbevangen, als een kind dat denkt dat iedereen zijn spiegelbeeld is.

Ik leun naar achteren, weg van zijn brakke vinger. 'Ik heb porseleinen vullingen.'

Hij kijkt me blanco aan.

'Je ziet ze niet. Ze hebben dezelfde kleur als mijn tanden. Ze zijn beter.'

Er dreigt een glimlach op zijn gezicht, dat zou voor het eerst zijn, maar in plaats daarvan valt zijn mond wijd open; het lijkt wel een rivierbedding in Californië, goudklompjes in elk gaatje.

Hij tikt tegen een kies. 'Mijn bank,' zegt hij en hij loeit onbedwingbaar. Ik word teruggeslingerd naar een andere tijd, toen mannen bulderden en hun geld in een oude sok bewaarden. Ik glij in mijn luxeueze Queen Anne-bed. Gary slobbert weer uit de fles en valt op mijn bed. Hij ligt opge-kruld in een zijden boxershort met paisleymotief, zijn be-nen knokig en gebogen als de pootjes van een jong vogel-tje. Hij draagt een chic overhemd, de dubbele manchetten hangen los. Ik weet zeker dat hij geen idee heeft hoe hij die met manchetknopen moet vastmaken, of waarom hij dat zou moeten doen.

'Gary.'

Hij mompelt, half in slaap.

'Dacht je ooit dat je onder dons zou slapen, in een smaakvol ingerichte kamer, gladgeschoren, in een Frans maatoverhemd en zijden ondergoed?'

Hij krijgt met moeite een oog open, lijkt het te overdenken, alsof hij begrijpt waar ik heen wil.

'Ik bedoel maar, ik denk dat we het goed voor elkaar hebben hier. We zitten op het hoogste punt. We hebben een prachtig huis. Het stinkt niet, lekt niet, is niet overbevolkt. Denk eens aan de wind. Die waait over de hele zee, verzamelt alle frisse lucht en levert die regelrecht hier bij onze voordeur af. We hebben ladingen voedsel, meer dan we ooit zouden kunnen eten, in feite. We drinken geïmporteerd water.'

Ik neem een slok om het te demonstreren.

'De whiskey is vroeg of laat op, maar ik weet zeker dat we wel iets anders kunnen bedenken. Er is andere sterkedrank. Ik heb port. Uit verschillende wijnjaren. Al met al hebben we een behoorlijk lekker leventje, Gary.'

Hij gaapt. Misschien grijpt hij dit moment aan om nog een fles leeg te zuipen. Hij staart naar het huis van de buurman.

Ik vraag me af of hij me heeft gehoord, als hij mompelt: 'We zijn dakloos.'

Ik begrijp niet wat hij bedoelt. 'Doe niet zo raar,' zeg ik. Ik ben zeker niet dakloos. En hij nu ook niet meer.

Maar dan denk ik dat ik wel begrijp wat hij bedoelt, als

ik naar de eindeloze, kabbelende zee kijk, die deze keer de metafoor overstijgt en wérkelijk eindeloos is.

Dakloos is een benaming van gebrek. Wij hangen niet uit onze ramen, wapperen niet met lakens; hier zijn geen natte voeten die op ons trappen, zoals bij mijn buurman. Maar ontegenzeggelijk voelen we dat er iets ontbreekt. 'Vriend,' antwoord ik, 'we zijn wéreldloos.' Ik laat mijn nieuwe woord inzinken.

Gary snottert en bepotelt zijn gezicht, en dan zie ik iets glinsteren op zijn wang.

'Gary, huil je nou?' zeg ik met zachte spot.

Hij fronst en trekt het dekbed tot onder zijn neus, klemt de whiskeyfles strak tegen zijn borst en doet alsof hij slaapt.

Ik hoor gemompel buiten mijn huis

Verderop kraakt een boot. Een zeil van gescheurde lappen, veelkleurige stroken, ruw aan elkaar gestikt, dat amper wind vangt. Ik zie twee mannen, wadend op weg naar mijn voordeur, terwijl de anderen wachten in de boot. Ze staren bewonderend naar het huis. Zo hoort het ook.

'Gary,' sis ik.

Een minuut later schuifelt hij de hal binnen; hij ruikt naar iets lekkers. Niet naar whiskey, valt me op en dat vind ik raar.

'Er komen mannen aan. Kijk wat ze willen.'

Gary gluurt van achter de gordijnen, laat zijn ogen wennen aan het licht, knikt. Ik geef hem een mes en hij glipt naar buiten om de mannen op te wachten.

Hij komt terug met een briefje in een fles.

'Ze zijn van hiernaast,' zegt hij, licht brabbelend.

'Hebben ze hiernaast een boot?' Moeten wij ook een boot hebben? Ik had nog niet nagedacht over hoe ik buiten mijn huis moet overleven. Zou ik dat überhaupt willen? Het lijkt zo vreselijk, daarbuiten. Maar misschien is het iets waar ik Gary op moet zetten, voor het geval dat. Boten bouwen. Zó vorige eeuw.

Het briefje is op de achterkant van een soepetiket gekrabbeld:

Beste buurman, hebt u misschien wat eten en water over? Mijn mannen zullen het naar de overkant brengen. Onze voorraden zijn gevaarlijk geslonken. Hebt u misschien ook wat ruimte over? Dan stuur ik u propere vrouwen en kinderen. We zijn verschrikkelijk overbevolkt. De muren lijken het te gaan begeven. Ik maak me zorgen. Hoogachtend.

Ik verfrommel de brief. De brutaliteit. 'Geen sprake van.'

Gary kijkt verbaasd, en dat verbaast me.

'Maar we hebben eten over.'

'Wat weet jij nu van eten?' schreeuw ik.

'Je zei dat we meer dan genoeg hadden.'

'Niet waar!'

'Wél,' zegt hij mokkend.

'Dat was eerder. We hebben maar heel weinig. Je eet veel te veel.'

'We hebben eten genoeg,' mompelt hij weer.

'Nou, dat zul jij dan wel het beste weten. Ik neem aan dat jij degene bent die nu de beslissingen neemt. Je gaat me zeker vertellen dat we ze moeten uitnodigen om hierheen te komen?'

'Zou het zo vreselijk zijn om iemand binnen te laten?'

'Ja!'

Gary kijkt omhoog langs de grote trap, neemt beide vleugels in overweging. 'Er is ruimte.'

Ik gooi mijn handen in de lucht. 'Ongelofelijk! Hij zit je gewoon te belazeren!' Ik schaam me voor mijn gillende stem, maar ik kan me niet beheersen. 'Zijn huis is altijd al een bouwval geweest. Altijd barsten in de ramen. Afbrokkelende stenen. Zijn klimop die over mijn kant van het hek groeit. Zijn voorportaal zag er altijd al zo uit. Zijn huis dreigt te bezwíjken? Dat is gewoon omdat hij het nooit heeft onderhouden!'

Gary staart verlangend naar de hal boven aan de trap, alsof hij fantaseert dat die is gevuld met lachende kinderen en mooie vrouwen.

'Ze zullen alles verpesten. Ons leven. Ze zullen meer eten dan hun toekomt. Ze zullen water verkwisten. Ze zullen je whiskey opdrinken, dat snap je toch wel?'

Gary bloost en kijkt naar een veeg op de esdoornhouten vloer, likt aan zijn vinger en gaat op zijn hurken zitten om hem weg te poetsen. 'Het kan mij niet schelen,' mompelt hij tegen de veeg.

'Ik zal het simpel voor je maken, simpele vent. Als je bij hen wilt zijn, hoepel je maar op.' Terwijl ik de woorden nog uitspreek, wil ik ze al weer terugnemen. De rest van dit leven lijkt onmogelijk zonder Gary. Maar ik hoef toch niet het leven waarvan ik geniet op te geven om onderdak te bieden aan de domme massa? Wat voor nut heeft het leven als je niet kunt leven zoals je wilt?

Gary staart me aan en zijn blik bevalt me niet. Het lijkt wel alsof we vreemden zijn voor elkaar. Hij haalt het mes uit zijn zak en beent naar buiten.

Ze maken ruzie. Ik kan niet horen of een van de stemmen van Gary is. Misschien smeken de mannen wel om binnengelaten te worden en luistert Gary alleen maar, hoort hij ze aan. Dat zou typisch Gary zijn.

Maar misschien smeken de mannen om binnengelaten te

worden en zegt Gary ja. Dat zou een andere Gary zijn, denk ik.

Dan hoor ik geschreeuw en het gekreun van een worsteling. Het geluid vlucht weg over het water; er is niets wat het tegenhoudt. Ik verstop me in een kast. Er hangt een enkele regenjas. Ik verberg mezelf erin.

Een kreet van pijn gaat over in het geluid van mannen die zich spetterend terugtrekken.

De voordeur gaat open, wordt dan met een zachte klik gesloten, alsof ik een kind ben en Gary mij niet wil wekken. Voeten schuifelen weg. Ik duw de deur op een kier en zie het mes liggen op het goudkleurige middenstuk van het vloerkleed. Het is besmeurd met bloed en zeeschuim. Ik zou zijn wonden willen verzorgen, als hij die heeft, maar ik beweeg me niet.

Uit de studeerkamer hoor ik het getinkel van een flessenhals op een glas. Een glas deze keer. Wat een wellevendheid! Ik schaam me dat ik aan hem heb getwijfeld. Hij weet wat er op het spel staat. Alles is goed.

De nieuwe oceaan zorgt voor afgrijselijke weersveranderingen; het is al dagenlang koud. Er vallen pluizige sneeuwvlokken uit de lucht, zo groot als een hand, en een oogwenk later worden we beschoten met hagelstenen zo groot als mossels. Klompen zeeijs vormen zich in de draaikolken. De schoorsteen zit verstopt met ijs en sneeuw en de open haard braakt dikke rookwolken. We kuchen. Gary zet een raam open. De strontlucht van de slotgracht drijft naar binnen. We kokhalzen. Hij doet het raam weer dicht.

Ik bedenk dat we vrijer in ons eigen huis zouden kunnen zijn, als dat van de buurman niet zo vol zat. Zou het niet fijn zijn als we in de deuropening konden staan om van de koele bries en het uitzicht te genieten? Ik had nooit echt een uitzicht, alleen maar daken onder me. Maar nu kijk ik uit op de oceaan.

Ik ben boos op mijn buurman, omdat hij zijn deuren heeft geopend, terwijl ik die van mij gesloten houd. Het zou allemaal wat plezieriger moeten zijn. Het is immers het einde der tijden.

Ik slaap onder de sluier van mijn verbolgenheid, maar dan word ik me er vaag van bewust dat Gary's hand mijn haar streelt, zijn zure adem in mijn oor fluistert: 'Colleen.' Een mindere man zou zich bedreigd voelen als hij in zijn bed door een dronkenlap werd betast. Maar ik ben geen mindere man. Ik vind het troostend. Andermans noden zijn grappig. Vaak zijn ze weeïg-makend. Maar soms, met de juiste persoon, kunnen ze het meest troostende moment van een dag zijn. Ik merk dat ik op dit moment, ondanks alles, stilletjes gelukkig ben.

Een vreselijk gekraak wekt me. Ik tast rond op mijn bed, maar Gary is er niet.

Ik kan niets zien door het raam, maar ik hoor de zee tegen de zijkant van het huis slaan, razend en hoog. De wolken zijn dik als isolatiemateriaal en verbergen elk bewijs van de maan. Is die groot en vol en zorgt hij dat het tij stijgt, of heeft zich een grote, onomkeerbare verandering voltrokken?

Ik rol naar het koude midden van het bed. Dan hoor ik weer gekraak en geschreeuw en het onvergetelijke breken van zware steunbalken, van muren die instorten. Gegil, geplons, geschreeuw om hulp. Als ik moest raden, zou ik zeggen dat het huis van mijn buurman zojuist is ingestort. Ik wil niet kijken, voor het geval dat ik het bij het rechte eind heb. De zee om ons heen zou verstopt raken met levenlozen, hun gezicht naar beneden, een eenvoudige begrafenis voor diegenen die het langst overleefden. Een gedachte schiet door me heen: is deze tragedie deels aan mij te wijten? Ik geloofde altijd dat onze verhalen op zichzelf stonden. Ik was deze aarde gaan zien als mijn privétoevluchtsoord. Dat ik met Gary deelde. We konden hoger en hoger klimmen als het water steeg en onze dagen slijten op mijn ouderwetse uitkijkplatform, totdat ook dat werd verzwolgen. Ik vond het altijd zo'n romantisch scenario. Maar nu onze buren zijn weggespoeld, ben ik opeens benieuwd welk ander verhaal we wellicht hebben verteld met z'n allen. We zijn immers allemaal overlevers. Wat een pathetisch einde. Hoe wanhopig, allemaal. Ik val in slaap met een verbazingwekkend gevoel van smart.

Bij daglicht blijkt het huis van mijn buurman er nog steeds te staan. De bovenverdieping is wel ingestort. In het water om ons heen drijven wat lichamen, maar niet veel. De dobberende lijken missen de plechtstatigheid die ik me erbij had voorgesteld. Ik ga uit bed om een bord vol crackers met pindakaas te smeren.

Op de overloop hoor ik gedempte stemmen en ik zie mijn buurman in de hal staan, met Gary. Ze staan dicht bij elkaar, fluisteren. Het ziet er allemaal nogal vriendelijk uit, wat mij verbaast.

'Hallootjes, buurman.' Ik probeer zorgeloos te klinken.

Betrapt kijken ze omhoog. Ik speur naar aanwijzingen op Gary's gezicht, dan op dat van mijn buurman.

Mijn buurman heeft geprobeerd zichzelf een beetje op te

kalefateren. Zijn kleren zien er op sommige plekken gestreken uit, alsof hij ze tussen stapels boeken heeft gelegd om het effect van een stoomstrijkijzer te imiteren. Maar het zijn delen van verschillende pakken, krijtstreepjes die een andere kant op gaan op zijn jasje en zijn broek, en een geruit overhemd. Zijn baard is ruw gekortwiekt; grote stukken zijn korter dan andere, alsof hij hem heeft geknipt met een kinderschaartje. Het lijkt ook alsof hij make-up draagt, poeder of wat rouge voor de kleur.

Mijn buurman groet me met een knikje. 'Er is een ongeluk gebeurd,' hijgt hij haperend. 'Het dak. Is ingestort. Bovenste verdieping. Veel doden.'

'Ik weet het, we hebben het gehoord,' zeg ik en ik veins ontsteltenis. Gary kijkt bezorgd. Dan zeg ik: 'We hebben gehoord dat het instortte, bedoel ik,' opdat mijn buurman niet denkt dat we het van iemand hebben gehoord, alsof het een roddel was.

'Ik zag de lichamen in de gracht,' zeg ik.

Mijn buurman kijkt beschaamd en sputtert: 'We moesten wel. De ziekte. Al de anderen.'

Ik zie dat Gary's pak er gekreukeld uitziet. Ik steek mijn arm uit, voel aan de stof. Die is vochtig.

'Gary, heb je gezwómmen?'

Mijn buurman kucht. 'Buurman,' begint hij zijn smeekbede.

'Wat wil je van me?' vraag ik en ik probeer vriendelijk te klinken, maar ik kan aan hun gezichten zien dat mijn toon van steen is.

'We moeten het plafond stutten.'

Gary schraapt zijn keel. 'Er liggen lange balken in de kelder.'

Ik snuif. 'Niet waar.' Ik kijk hem recht in zijn ogen en ze zijn mosgroen en helder, alsof hij helemaal wakker is. We staan dicht bij elkaar; zijn adem op mijn gezicht ruikt zoet, als warme melk. Dan herinner ik me dat er balken in de kelder líggen, overgebleven na de renovatie van mijn Dorische zuilen. Waarom kent Gary het huis beter dan ik?

Ik kijk hem woedend aan, klaar om hem ergens van te beschuldigen, maar dan begint mijn buurman te huilen. Gary grijpt zijn schouder om hem te troosten. Ik schrik. Die handen zijn voor mij.

Zeeschuim krult over de overschoenen van mijn buurman en plotseling voel ik me duizelig. Ik doe een stap naar achteren, trek mijn vest om me heen en besef dat ik knokig ben, uitgemergeld. Ik zwem in dit vest; de manchetten hangen over mijn handen alsof ik mijn vaders kleding draag. Is dit wel mijn vest? Heb ik niet goed voor mezelf gezorgd? Ik kijk naar Gary. Hij is mager. Maar ik denk niet dat hij magerder is dan normaal. Wat is er aan de hand?

'Hij neemt de balken mee,' zegt Gary, alsof het doodnormaal is om iets weg te geven. Hij pakt mijn buurman steviger beet en leidt de schim van wat eens mijn buurman was naar binnen. 'Pas op voor het vloerkleed,' zegt hij en instinctief voel ik dankbaarheid. Hij houdt rekening met mij. Met ons. Met onze spullen. Ik probeer hem mijn dankbaarste glimlach te schenken, maar hij leidt mijn buurman al door de kelderdeur. 'Ik help 'm wel,' roept hij over zijn schouder.

Natuurlijk heeft mijn buurman hulp nodig. De balken zijn dik en lang en zelfs de bouwlieden kregen ze maar amper in de kelder. En mijn buurman is duidelijk uitgehongerd. Maar alweer verrast Gary me. Als ze uit de kelder komen, valt me op dat Gary niet langer struikelt. Hij lijkt wel krachtig. Hij spreekt hele zinnen uit, geen gebrabbel. Hij is betrokken, niet boos. Hij dirigeert mijn buurman, die gekromd en onvast loopt, amper in staat de balk op te tillen, naar de deur. Gary staat rechtop, de balk gemakkelijk balancerend op zijn schouder, alsof hij het gewicht niet voelt. Ik wil mijn voedselvoorraad controleren, maar dat zou fout zijn. Het is ook zijn huis.

Ik zie hoe ze de balken naar de overkant duwen en in het huis van mijn buurman verdwijnen. Ik schuif de grendel op mijn deur. Als ze terugkomen, mogen ze aankloppen. Maar dan denk ik, nee, het is Gary. Ik trek de grendel terug.

De hele nacht stook ik het haardvuur en wacht ik op het gespetter van Gary die door de gracht naar huis komt. Ik heb recht op een verklaring. Ik kan niet slapen zonder hem.

In het huis van mijn buurman, verlicht met kaarsen, zie ik dat zich een menigte om Gary heeft verzameld. Het lijkt alsof hij een toespraak houdt. Hij buigt zijn hoofd en slaat zijn handen over zijn borstkas, alsof ze een wond moeten beschermen. Hij gooit niet met flessen, loopt niet te mokken. En als hij begint te huilen, komt de menigte voorzichtig op hem af om hem te troosten; ze leggen hun handen op hem. Mijn buurman baant zich een weg tussen de mensen door, die voor hem wijken, en hij en Gary omhelzen elkaar. Gary snottert en legt zijn hoofd in zijn hals.

Ik kruip naar de drankkast. Er is nog maar één fles whiskey over. Kokhalzend gooi ik de helft naar binnen en smijt de fles dan naar het grote raam.

Ik bekijk mijn voedselvoorraad. Die lijkt niet onredelijk geslonken, maar ik neem aan dat er meer voedsel verdwenen is dan zou moeten. Stond er niet nog een pallet bij het bed?

Maar dat kan gemakkelijk worden verklaard door Gary's te-
ruggekeerde eetlust. Had hij gegeten? Ik kon me niet herinneren dat hij ooit samen met mij at, hoewel hij me altijd
gezelschap hield als ik dineerde. Ik zou nog een tijd met dit
voedsel vooruit kunnen, zeker tot aan het einde, dat dichterbij voelt dan ooit. Maar daar gaat het niet om, bedenk ik als ik
in de open haard pis. Dikke rook stijgt op en bijna stik ik erin. Ik klap dubbel, in ademnood. Ik wrik het raam wijd open
en adem die smerige grachtlucht in. Een nieuwe dag breekt
aan. Een opgezwollen en door de zon gebleekte koe dobbert
voorbij, de huid golft van de maden, de staart afgebeten door
een of ander dier, haar buik vol methaan is nog intact, maar
staat op het punt te ontploffen. Zo zal het mij ook vergaan.
Bleek, opgezwollen en ten prooi aan alles wat nog leeft.

Waarom is hij weggegaan?

Wie heeft gezegd dat hij weg mocht gaan?

Het water in de gracht is griezelig dik, alsof het in slijk
dreigt te veranderen. Bij de hoek van het huis van mijn buurman vind ik weer vaste grond en al snel ben ik op het droge.
Water klotst uit mijn kleren en uit mijn zakken, zout en zand
knarsen tussen mijn tanden.

Ik hoor veel leven daarbinnen, honderden en honderden
mensen, maar als ik langs een raam loop, staakt het tumult.
Als ik op de voordeur klop, is het alsof de hele wereld zijn
adem inhoudt. Ik druk mijn oor tegen de deur. Niets.

'Ik weet dat jullie daar zijn,' schreeuw ik. 'Ik kan jullie allemaal zien vanuit mijn huis.'

Ik hoor gekuch, en een snelle actie om het geluid te dem-
pen.

'Jullie hebben mijn eten gestolen.'

Stilte.

Ik haal een archiefkaartje uit mijn zak, dat ik in een plastic zakje heb gestopt om het droog te houden. Het is een eloquent geschreven geheugensteuntje voor Gary, over ons comfortabele leven thuis, over hoe ik hem heb gered, over onze vriendschap en het contract dat hij heeft getekend. Ik vind een kier aan de bovenkant van de deur en probeer het kaartje naar binnen te duwen. Halverwege is er iets wat het tegenhoudt en het weer naar buiten duwt.

Gary.

Ik weet dat hij achter de deur staat. Ik leg mijn hand op de deur en duw mijn wang ertegen. De deur is slijmerig van de algen. Het voelt alsof ik eraan vastgeplakt zit.

'Gary!' schreeuw ik. 'Laat me binnen! Ik ben nat en koud!'

Het is volle maan. Het tij zal hoog zijn. Het water wacht op bevelen. Ik denk dat het dit huis net zo graag wil hebben als ik.

Ik kan nog steeds naar huis. Als ik nu ga, voel ik de bodem van de gracht nog. Maar waarom? In het huis van mijn buurman beginnen de mensen zich weer te verroeren. Ik hoor vele voeten, die de trappen op en af marcheren. Een piano wordt gestemd. Ze gaan gewoon door. Voor het eerst valt me op dat het huis van mijn buurman ietsje lager op de heuvel staat dan het mijne. We zaten werkelijk op het hoogste punt. Het was niet iets wat ik me inbeeldde, of opschepperij. Ik word overspoeld door verdriet.

'Gary. We hadden álles!'

Ik ga zitten op het bordes, het water komt tot mijn knieen. Visjes zwemmen rond mijn benen, alsof ze een spel spelen.

Haviken vliegen hoog in de roze kleurende lucht. Ik weet

niet veel van vogels, maar ik stel me voor dat ze ergens vlak-
bij neer moeten strijken. Als het meeuwen zijn, kunnen ze
op het water drijven. Ik denk niet dat haviken dat kunnen.
Of buizerds, die boven hun prooi cirkelen. Als het albatros-
sen waren, konden ze een volledige oceaan oversteken, zonder ooit moe te worden. Ik heb gehoord dat ze met schepen
meevliegen, de hele reis, en daarna gewoon verder vliegen.
Er is iets met die naam waardoor ik dit geloof. Albatros. Alsof er geen einde aan komt.

Ik had niet stilgestaan bij het feit dat de wereld, verder
dan ik kan kijken, misschien wel gewoon normaal door-
draait. Als dat haviken zijn, dan moeten ze terugvliegen naar
hun boomkruinen, hoog boven huizen vol slapende gezinnen, mannen en vrouwen, kinderen die het geluk hebben
gehad dat ze geboren zijn. Net achter de kromming van de
aarde, aan mijn zicht onttrokken, kunnen wolkenkrabbers
licht krakend de nieuwe, verzengende wind trotseren. Het
nieuws zou aandacht besteden aan ons, degenen die zijn omgekomen. Maar ik ben er nog steeds.

Het verbaast me hoe gemakkelijk het was om te geloven
dat ik een van de weinige, gelukkige overlevenden was. Als
mensen over de hele wereld deze ondergaande zon bekijken,
dan heb ik achteraf helemaal niet zoveel geluk gehad, tot aan
mijn borst in het koude zeewater, vol afval en glibberig van
menselijke uitwerpselen. Wat maakte mij zo speciaal? Ik had
een huis. Ik had Gary. Het voelde als genoeg voor het einde
der tijden.

Binnenkort moet iemand de deur openen. Ze hebben
spoelemmers, die gevuld moeten worden. Blikjes, flessen en
batterijen om weg te gooien. Of niet soms? Ik zou kunnen
wachten.

Ik probeer het me voor te stellen: ik, daarbinnen. Handen schudden, vertellen over de levens die we hebben geleid. Nostalgisch doen, maar waarom? Om samen kruimels te eten? Natuurlijk moet ik, als ze me binnenlaten, mijn huis en voorraden opgeven. Ze zouden met hun tengels aan mijn antiek zitten. Al mijn beddengoed smerig maken. Ik zou nooit meer 's ochtends kunnen genieten van mijn eenzaam galmende voetstappen op de vloeren van mijn huis.

Als ik naar huis ga, leef ik langer. Dat is ontegenzeggelijk waar. Ik weet niet wat ik nog meer te wensen zou moeten hebben.

'Oké Gary, laatste kans. Ik ga nu,' roep ik. Ik wacht even, luister of ik de deur hoor kraken, uit nieuwsgierigheid en de behoefte aan het langste eind te trekken.

In plaats daarvan hoor ik gelach achter de deur.

Ik weet dat ze snel zullen komen. Gary zal ze hierheen leiden. Het kan elke minuut zover zijn. Ze zullen naar de overkant van de gracht waden, zwemmen of deels verdrinken, en met geweld door mijn grote raam naar binnen komen, de gesloten voordeur versplinteren. Het is een kwaliteitsdeur. Het zal niet gemakkelijk zijn.

Dan hebben water en wind vrij spel en die zullen het huis van binnenuit opvreten. Dan hebben ze weer niets. Ik zou ze kunnen waarschuwen, maar moet ik nu werkelijk aan álles denken?

Ik wacht op het uitkijkpunt op mijn dak, omringd door zachte donskussens en een hoge stapel dekens. Ik heb water, crackers, ingeblikt vlees en mijn twee grootste messen bij me, maar ik hoop niet dat het zover zal komen. Ik denk niet dat Gary dat zal toestaan. Natuurlijk voel ik me verraden.

Hij kent al mijn geheimen, weet waar ik het bangst voor ben, kent alle combinaties en weet waar de waardevolle spullen zijn verborgen. Maar ik zal nog steeds zijn vriend zijn. Als hij me als vriend wil.

De maan komt op, daalt neer, komt op, daalt neer. Het tij komt en gaat. Ik wacht op het einde. IJzige lucht dringt in mij door. Zelfs opgekruld en ingepakt in dekens lig ik te rillen. Ik wacht op hen. Stukken van het huis van mijn buurman laten los en vallen in zee. Soms breekt er een raam in de val. Hoor ik daar een piano tinkelen of is het brekend glas? Is dat het geluid van gezang of hout dat kraakt, op het punt van breken? Het hele huis is scheefgezakt. De wind klinkt als een afschuwelijke weeklacht. De zee klopt op zijn deur, maar die blijft gesloten.

Iemands kind

Linda wikkelde haar boreling Beatrice in een botergele deken, gebreid door de vrouwen in de buurt, en ging naast haar man in de auto zitten. Ze reden van het ziekenhuis naar huis en glimlachten naar de baby en naar elkaar. Ze reden hun straat in en keken glimlachend naar hun huis, dat ze hadden opgeknapt en in een kleur hadden geschilderd die volgens hen veel verschil zou maken, als het erom ging een gezin te stichten. En toen vervlogen hun glimlachjes.

De man stond al in de voortuin.

Ze reden de oprit op en de man sloop achter de esdoorn. Toen hij zag dat ze hem hadden ontdekt, kwam hij achter de boom vandaan. Met grote stappen ijsbeerde hij heen en weer door de tuin.

Linda drukte Beatrice strak tegen zich aan en liet het aan haar man over om de autoportieren dicht te smijten, te schreeuwen, de man woedend aan te staren. Ze voelde zich hulpeloos en dus schuifelde ze snel naar binnen, in de wetenschap dat zijn pogingen om dreigend over te komen niets zouden uithalen.

Eenmaal binnen zag ze hoe de man in de voortuin haar huis in de gaten hield. Ze wist dat het niet lang zou duren voordat hij binnen zou zijn. Dat lukte hem altijd.

En dus ging Linda nooit naar buiten, tenzij ze niet anders kon. Als haar man naar zijn werk was gegaan, deed ze alle deuren op slot. Ze liet tralies voor de ramen zetten. In de kinderkamer bekeek ze de man van achter de gordijnen, terwijl Beatrice sliep. Als ze het vuilnis buitenzette, hield ze haar baby ferm tegen haar borst geklemd en keek ze de man strak aan, terwijl ze langs hem struikelde met haar lekkende vuilniszak. Een ogenblik was al genoeg; dat wist ze. Als ze te lang bezig was iets in haar koelkast te zoeken. Als ze bij het snijden van wortels in haar vinger sneed en haar gezicht vertrok van pijn. Als ze in slaap viel terwijl Beatrice een dutje deed. Het zou iets kleins zijn.

Linda belde haar buren en vroeg hun haar te bellen als ze zagen dat de man in aantocht was. Ze hoorde hoe ze hun adem inhielden, op hun hoede.

Dat zullen we proberen, maar weet je, Linda, begonnen ze dan, waarop Linda ophing. Ze wist wat ze haar wilden vertellen en dat wilde ze niet horen. Als ze hem zag, als iemand hem zag, was hij tenminste nog niet binnen.

Maar op een dag werd er een pakketje afgeleverd. Achteloos zette ze haar handtekening, terwijl ze naar de man in de voortuin keek. Eenmaal binnen pakte ze een mes om de doos open te snijden en toen zag ze dat het pakje niet aan haar was geadresseerd. Het was zelfs niet voor iemand anders in haar straat. De bezorger had haar een pakketje voor een vreemde gegeven. Hij reed al achteruit de oprit af.

Wacht, riep ze en ze rende achter hem aan voordat hij de straat zou uit rijden.

Hij sprong uit zijn bestelwagen en liep naar haar toe en door de snelheid waarmee hij bewoog herinnerde ze zich plotseling de man in de voortuin. Zo gemakkelijk was die last uit haar gedachten verdwenen. Er was alleen een stom-

53

me doos voor nodig geweest. Ze liet hem vallen en rende gillend naar binnen. Maar het was al te laat. De man was al weer weg en had Beatrice meegenomen.

Je kunt er niets tegen doen, zeiden haar buren, terwijl Linda rouwde. Een paar buren kwamen langs met stoofschotels en potjes zelfgemaakte jam.

Je komt er wel overheen, en dan krijg je er nog een, zeiden ze.

Maar die zal hij ook gewoon meenemen, huilde ze.

Misschien niet, zeiden ze hoopvol. Soms pakt hij er maar eentje!

Ik zou het niet kunnen verdragen dat hij er nog een meeneemt, zei ze snikkend.

Stil maar. Ze streken haar haar glad, masseerden de spanning uit haar handen. Wij weten wat je doormaakt.

Maar waarom glimlachen jullie dan?

Omdat we weten dat je het weer zult proberen en het gezin zult krijgen dat je wilt. Ze keken elkaar stralend aan. Zo hebben wij het ook gedaan.

Linda snoof. Nou, misschien ben ik niet zoals jullie.

Wat spijtig, dachten haar buren. Stel je voor dat je de wens om een gezin – een gezín – te stichten zou opgeven omdat het moeilijk is. Natuurlijk was het moeilijk – de man, de angst, de klap van het rouwen. Maar als je het opgaf, restte je alleen nog leegte. Ze zou zo'n leuk gezin kunnen hebben, als ze een beetje beter haar best deed.

Maar een paar jaar later kreeg Linda weer een kind. Een jongetje, dat ze Lewis noemde, en ze huilde van opluchting toen de dokter hem op haar borstkas legde, zodat zij hem kon voeden. Linda keek naar zijn gezichtje en het was alsof ze nog nooit een babygezichtje had gezien, zo perfect was het. Ze voelde zich heel. Ze was blij dat ze het weer had geprobeerd.

Weet je zeker dat ik je niet naar huis moet brengen? vroeg haar echtgenoot en hij boog zich voorover in haar auto om het warme buikje van Lewis te strelen, zomaar. Zijn auto stond naast hem stationair te draaien.

Ga maar naar je werk. Linda glimlachte. Ik voel me prima. Ze voelde zich echt prima. Ze geloofde dat deze keer alles goed zou komen.

Maar toen ze de oprit op draaide met Lewis, stond de man al in de voortuin te wachten.

Linda huiverde. Tranen stroomden over haar wangen, maar ze wist niet eens dat ze huilde. Lewis spartelde zenuwachtig toen hij dit nieuwe onheilsgevoel bespeurde.

Ga alsjeblieft weg, zei ze snikkend. De man peuterde tussen zijn tanden.

Ze hield het hoofdje van haar zoon vast, bukte zich en raapte een steen op uit de kapotgereden strook tussen het asfalt en het gazon, die ze naar de man gooide. De steen kwam links van hem neer. Ze gooide er nog een, raakte zijn schouder, maar hij vluchtte niet, wreef alleen met zijn hand over zijn schouder.

Heb je nog niet genoeg kinderen? gilde ze. Ze rende naar binnen en gooide de deur achter zich dicht.

Ze trok alle gordijnen dicht, sloot alle deuren met drie sloten af, rukte aan de tralies voor de ramen om te zien of ze sterk genoeg waren. Maar wat maakte het uit? dacht ze. Hij zal niet inbreken. Hij loopt gewoon naar binnen als ik een fout maak. Het zal mijn schuld zijn, dacht ze, terwijl ze

Lewis in zijn bedje stopte. Hij keek haar aan met vochtige ogen en schudde met zijn ledematen door een babystuipje. Zijn mond ging open of dicht, of hij dat nu wilde of niet; zijn tong leek soms te groot voor zijn natte mond. Ze was al die dingen die baby's doen vergeten, en hoeveel genoegen je voelt als je naar ze kijkt. Ze bekeek Lewis dagenlang, nachtenlang. Ze sliep niet. Ze wilde geen enkel risico nemen.

Tijdens een van zijn namiddagdutjes wiegde ze in haar schommelstoel en keek toe hoe Lewis zich in zijn slaap bewoog. Hij leek een denkbeeldige draad rond een denkbeeldige klos te draaien, waarmee hij een denkbeeldige kluwen maakte die hij daarna in zijn mond zou steken. Ze verloor zich in het onwillekeurige gedraai van zijn armen. Ze stelde zich voor dat ze vliegerden, midden op een hooikleurige weide, haar kleine baby die in zijn wiegje een klos met draad afwikkelde terwijl zij de vlieger omhoogtrok, steeds hoger met elke draaiing van de klos. Maar de draad raakte in de knoop en ze moest erlangs omhoogklimmen om de knoop te ontwarren. Net toen haar dat was gelukt, hoorde ze het gepiep van een ijzeren hek en zag ze hoe de man over het veld naar Lewis liep. Ze schoof langs de draad naar beneden, maar met elke centimeter kwam ook de man een centimeter dichterbij; een marteling, want zo zouden ze tegelijkertijd bij Lewis zijn, en wat dan? Ze gleed sneller naar beneden, maar de man versnelde zijn pas. En toen liet Lewis kirrend meer draad van de klos vieren en schoot Linda omhoog. Ze gilde dat hij daarmee moest ophouden, maar toen was ze al te hoog. De man sloop naderbij en ze wist dat ze door haar eigen domheid ook deze baby zou kwijtraken. En toen steeg ze tot boven de wolken en kon ze Lewis niet meer zien. Ze voelde de draad verslappen toen Lewis werd meegenomen.

Ze steeg hoger en hoger en dacht dat hij uit angst de klos had laten vallen.

Ze werd wakker, onderuitgezakt in haar schommelstoel, gedesoriënteerd door de vroege avondschemering. Een nagalm, een verstoring hing in de lucht. De wekker gloeide spookachtig groen in de duistere kamer. In paniek deed ze het licht aan. Er lag een baby in de wieg. Hij leek op Lewis, maar misschien was dat een trucje en had de man haar kind verwisseld voor een ander, een plaatsvervanger van wie ze nooit zou kunnen houden. Ze trok Lewis zijn kleertjes uit en bekeek zijn lichaam om het zeker te weten. Een moedervlek in de holte van zijn linkerknie. Toen ze die eenmaal had gezien, keek ze in zijn boze oogjes en wist ze dat het Lewis was.

Overal in huis voelde ze de afwezigheid van de man. Hij was er geweest. De knop van de voordeur was nog een beetje warm van zijn greep. De volgende keer zou ze niet op tijd wakker worden. Dat wist ze. En de man zou niet uit de voortuin verdwijnen tot hij Lewis had.

Linda wendde zich tot de vrouwen in haar buurt. Ze hadden haar zo aangemoedigd, toen ze eenmaal weer zwanger was geworden. Maar haar buren waren niet bepaald behulpzaam.

Als we maar met genoeg zijn om de wacht te houden, dan weet ik zeker dat hij ons met rust laat, smeekte Linda.

Wat moeten we dan doen? Dag en nacht de wacht houden voor jouw huis?

Met z'n allen?

We hebben zelf gezinnen om voor te zorgen!

De vrouwen praatten allemaal tegelijkertijd.

Ze waren bijeengekomen in de woonkamer van Helen voor hun maandelijkse buurtbewonersvergadering; Helen was de voorzitter. Maar niemand had verwacht dat er een nieuw idee besproken zou worden. Ze zagen er ontzet uit, terwijl ze kort daarvoor nog heel evenwichtig hadden geleken.

Maar als we de last verdelen, om de beurt de wacht houden, dan kunnen we onze kinderen beschermen.

Je bedoelt: jóúw kind beschermen, preciseerde Helen op haar voorzitterstoontje en ze keek rond in de hoop op bijval. De vrouwen knikten vanwege de aangestipte onrechtvaardigheid.

Hij is jouw verantwoordelijkheid, klaagde een vrouw wier naam Linda altijd vergat. Ze woonde in een rood huis. Linda had een gerucht gehoord. De vrouw had haar kind aan de man gegéven. Ze was te zeer overweldigd geweest. Linda vond het maar moeilijk te geloven.

Maar we hebben dit allemaal meegemaakt. Stel je eens voor dat we samen zouden werken – dan is het mogelijk dat we geen enkel kind meer verliezen.

Jill, die in een doodlopend straatje woonde, streelde Linda's arm vol sympathie. Je bent van streek. Dat is begrijpelijk. En je hebt gelijk: we hebben dit allemaal meegemaakt. Dus geloof me als ik zeg dat hij ze uiteindelijk niet meer meeneemt, zei ze, en dan krijg je er een paar die je kunt houden. Zo werkt het. Ik ben er eentje kwijtgeraakt. Ze haalde een foto van haar eigen, glimlachende gezin uit haar portefeuille: een echtgenoot, twee jongens, een meisje. Ze waren allemaal van schoolgaande leeftijd, maar droegen vormeloze kledij. Zie je?

Helen liet een schoolfoto zien van een jongen met een angstige glimlach. Als je het wilt weten, hij is mijn oudste. Maar in werkelijkheid was hij nummer drie, zei ze en ze streelde het fotolijstje met haar gemanicuurde vinger. Haar stem stokte. Ik weet nog hoe klein hij was.

Haar buurvrouw Gail plukte teder een haar van Linda's blouse. Iedereen die een gezin wil, krijgt dat gezin, zei ze. Alleen duurt het voor sommigen van ons langer.

Linda was als verdoofd. Maar hoe kun je ze kwijtraken en daar genoegen mee nemen? Ze had niet zo beschuldigend willen klinken, maar zo moest ze wel geklonken hebben, want de vrouwen verstijfden.

Helen glimlachte met strakke lippen. Laat me iets duidelijk maken. Ze wees naar de baby in Linda's armen. Hoe heet hij?

Linda kneep even, de baby kronkelde. Lewis.

En je eerste? Hoe heette die? vroeg Helen.

Linda aarzelde. De enige aan wie ze kon denken was Lewis, zijn warmte, zijn adem. Alleen de naam Lewis bezette haar brein, waar eerder nog vele gedachten hadden geklonken.

Helen keek de kring rond. Ik denk dat mijn punt wel duidelijk is, zei ze en de vrouwen knikten. Zij waren niet degenen die overtuigd moesten worden.

Ze knielde voor Linda. Als ze weg zijn, zijn ze weg. Maak een nieuwe – begin er meteen mee – en hoop er het beste van. Ze kneep ruw in Lewis' wang en zuchtte. Tot zover de vergadering.

Iedereen zag er uitgeput uit. Ze hadden nog nooit met iemand als Linda te maken gehad.

Linda liep door haar straat. Het was maar een klein stukje naar haar huis met de gezinsvriendelijke kleur, de vele sloten, de man in de voortuin. Ze bleef denken: Lewis, Lewis, Lewis. Maar toen vloog er een geel vogeltje langs haar heen, op weg van de ene naar de andere lantaarnpaal, en toen herinnerde ze zich: Beatrice.

Waarom blijf jíj nooit op om Lewis te bewaken? vroeg ze haar echtgenoot. Ze sliep amper nog. Hun relatie leed eronder.

Ik onderhoud ons gezin door te werken. Als ik niet slaap, kan ik niet werken en dan hebben we niets te eten, antwoordde hij.

Ze veegde het aanrecht nog een keer af. Als we geen kind hebben, hebben we geen gezin.

Hij lachte. Dat klopt niet helemaal. Jij bent er dan nog. Het is mijn taak om jou te onderhouden. Als jíj weggaat, is er niemand die ik moet onderhouden. Maar als Lewis verdwijnt, nou, dan moet ik nog steeds jou onderhouden, tot we weer een nieuwe maken en dan moet ik jullie beiden onderhouden. Zo werkt het nu eenmaal met een gezin. Hij zei het alsof hij dacht dat ze dom was.

En wat als die ook weer wordt weggehaald? Haar stem brak.

Hij besefte dat ze niet zomaar tegendraads was, maar werkelijk van streek. Hij trok haar tegen zich aan. Sst, sst, troostte hij haar. Maak je geen zorgen, hij pakt zelden een derde.

Ze verstijfde. Een derde? Je doet niet eens alsof er hoop voor Lewis is.

Hij fronste. Aardig zijn. Ik ben hier niet de vijand. Hij veegde een traan van haar wang.

Maar ook zij geloofde dat de man Lewis zou meenemen. En dat hij haar derde kind zou pakken. En haar vierde. En dat zou haar gebeuren. Er was iets in de manier waarop hij daar stond als zij uit het ziekenhuis kwam. Alsof hij een neus

had voor haar, voor haar blijdschap. Misschien was het ij-
delheid om te denken dat zij anders was, of dat nou kwam
omdat ze de noodzaak voelde Lewis te beschermen of omdat
ze zich een doelwit waande. Ze wist niet of het slecht van
haar was, dit vermoeden dat de wereld uitgerekend haar in
het vizier had en maar twee opties had – haar sparen of de
trekker overhalen. Ze voelde dat ze onder vuur lag, elke dag
van haar leven, al sinds ze kinderen had gekregen.

Linda zette een advertentie waarin ze bewakers zocht. Je
moet in staat zijn de hele dag staand en lopend door te brengen, meldde de advertentie. Je moet ook 's nachts beschik-
baar zijn. Ze nam twee mannen aan die recentelijk door een
fabriek waren ontslagen. Ze hadden als operator gewerkt
en droegen overalls, dus zagen ze er officieel uit, geüni-
formeerd in donkerblauw met vetvlekken. Ze draaiden de
nachtdienst. Ze nam nog twee mannen uit de buurt aan, met
kantoorbanen in de stad, die gedwongen waren minder te
werken. Hun vrouwen waren het er niet mee eens, maar de
mannen hielden vol dat het werk was en dat ze de kost voor
hun gezinnen moesten verdienen. Ze draaiden de dagdienst.
Hun vrouwen keken de andere kant op als ze langsreden.
Ze vonden het vulgair, hun mannen die heen en weer liepen over Linda's gazon, allemaal om één baby te bewaken en
niet eens die van henzelf.

Maar Linda had meer gelegenheid om naar Lewis te kijken, nu ze niet de hele tijd de man in de tuin in de gaten
hoefde te houden. Ze prentte zich het gezicht van Lewis
goed in. Ze ontdekte rode bultjes op zijn wangen die ze
nog niet eerder had gezien. Ze voelden aan als het zachtste
schuurpapier. Ze keek toe hoe hij zichzelf streelde in zijn

slaap, zijn kleine handjes die fladderden over zijn gezicht, alsof hij verlegen was. 's Ochtends rook hij naar rottende bladeren. Ze hechtte zich aan hem, zoals ze had gelezen in boeken voor jonge ouders.

Op een avond, terwijl Linda Lewis in bad deed in de goot-steen, zijn bleke huid bedekt met een masker van belletjes babyzeep, klopte er iemand op het raam. De figuur licht-te wit op in de lichtbundel van een schijnwerper en Linda schrok, totdat ze zag dat het haar buurvrouw Gail was. De vrouw stond in de jeneverbes onder het raam, haar klompen diep weggezonken in de zwarte grond.

Ik wilde je deze tulband brengen, maar het komische duo wilde me er niet langs laten, riep Gail achter het gesloten raam. Ze hield de in folie verpakte tulbandcake omhoog.

Linda zuchtte en deed de deur open. Ik weet het. Ik had gehoopt dat het iets vriendelijker zou overkomen. Ze gooien stenen naar je. Er hebben al meer mensen geklaagd.

De druiven zijn zuur. Ze zijn gewoon kwaad dat ze het zelf niet hebben bedacht. Gail kneep in een van de ingezeep-te, natte voetjes van Lewis. Hij spetterde met zijn handen in het water. Nou, het werkt toch? Je hebt hem nog steeds.

Dat is waar. Maar jij bent erlangs geglipt, of niet soms?

En natuurlijk spreek jij hen daarop aan.

Natuurlijk, mompelde Linda en ze beet op haar lip. Soms voelt het een beetje extreem.

Doe gewoon wat je moet doen om deze kleine te bescher-men. Ik zou me geen zorgen maken om wat de mensen er-over zeggen.

Linda had er niet bij stilgestaan dat mensen er überhaupt iets over zouden zeggen.

Toen Gail was vertrokken, deed Linda de voordeur open en riep de bewakers. De ene keek haar aan, de andere bleef omgekeerd staan om naar de man in de tuin te kijken. De man in de tuin boog zich voorover om haar te kunnen horen.

Over het algemeen doen jullie geweldig werk, fluisterde Linda.

De mannen knikten ernstig.

Maar vanavond wist een vriendin binnen te sluipen in de achtertuin.

Onmogelijk, zei de bewaker die haar aankeek. We zouden nooit iemand binnenlaten.

En we patrouilleren ook in de achtertuin, zei de bewaker die met zijn rug naar haar toe stond. Onmogelijk dat we uw vriendin niet hebben gezien.

Niet mogelijk, herhaalde de bewaker die haar aankeek.

Het punt is, zei Linda, twee dingen. Ten eerste wil ik mijn buren blijven zien. Je kunt hen gewoon binnenlaten. Dit is nu eenmaal een woonwijk. Ten tweede: het kan niet zo zijn dat mensen binnen kunnen sluipen, want dan doen jullie niet waarvoor ik jullie heb ingehuurd. En het is voor mij geen enkel probleem om iemand anders te vinden. Ze zei dit met de bedoeling gemeen te klinken.

De mannen waren een ogenblik stil, snoven de lucht op om het dreigement tot zich door te laten dringen. Straatlampen gloeiden over de volle lengte van de straat. Bladeren worstelden met hun takken. Sproeiers tikten op gazons in de verte. Ze beloofden dat het nooit meer zou gebeuren.

Het waren de bewakers uit de buurt die de man er uiteindelijk langs lieten. Het kind van de ene man had zijn been gebroken en lag in het ziekenhuis, en zijn vader had zijn dienst verzuimd om bij zijn zoon te zijn. De andere bewaker werkte alleen. De dag voltrok zich zonder incidenten. De bewaker keek naar de man in de tuin en de man in de tuin keek naar de bewaker. Het was niet nodig om patrouilles rond het huis te lopen, want de man in de tuin bewoog zich niet. Zolang de man zich niet verplaatste, bleef ook de bewaker op zijn plek. Er is geen ander gevaar dan de man, dacht de bewaker, terwijl een vlek zonlicht de man in de tuin bescheen. Hij had nooit iets gehoord over een handlanger van de man. Hij wist zeker dat hij het zou weten, als de man er een had. Maar toch, wat als de man een handlanger zou meebrengen op een dag dat de bewakers niet patrouilleerden? De kans daarop was klein. Maar toch. Het zou vreselijk zijn als hij de wacht hield en niet patrouilleerde, uitgerekend op de dag dat de man een handlanger zou meebrengen.

De bewaker piekerde over die vraag terwijl hij zich afwendde en in de struiken naast het huis urineerde. Hij hield de man in de gaten via de weerspiegeling van een raam. De man hing nog steeds rond achter de esdoorn. De bewaker keek naar beneden om te richten en sloot eventjes opgelucht zijn ogen. Toen hij weer opkeek, stond de man niet meer achter de esdoorn. Hij zag hem nergens meer. Even dacht hij dat de man hem wat privacy gunde en zich helemaal achter de boom had verscholen. Maar dat was maar een kortstondige, ijdele hoop, want hij wist wel beter. Hij had dit eerder meegemaakt. Hij had zijn eigen hysterische vrouw twee keer moeten troosten en het verhaal was altijd dat ze maar één seconde haar ogen had afgewend. *Maar één seconde!* En nu had hij juist dát gedaan, hoewel hij zichzelf én Linda had beloofd dat niet te doen.

Binnen waren Linda en Lewis in slaap gesukkeld tijdens

het borstvoeden. Toen de bewaker de kamer binnenstorm-
de, schrok Linda wakker en voelde ze een koude plek in de
holte van haar elleboog.

Linda voelde iets warms en vochtigs op haar wang. Gail
duwde een kompres tegen haar gezicht. Het okerkleurige
licht van de ondergaande zon sijpelde door de jaloezieën.
Ze had bijna elke dag slapend doorgebracht sinds Lewis was
meegenomen. Het lukte haar niet om uit bed te komen. Ze
kon niet overeind komen om welke deur dan ook op slot te
doen. Oude, vieze luiers lagen te gisten in de vuilnisbak, die
ze niet langer aan de straat kon zetten.

Gail tuitte haar lippen. Je moet opstaan, de draad weer
oppakken, zei ze, elk woord onderstrepend met een verma-
nend toontje.

Nee, dat hoef ik niet, antwoordde Linda.

En hoe vertel je dat tegen je echtgenoot?

Dat doe ik niet. Linda deed een halfslachtige poging om
overeind te komen. We praten niet meer.

Gail schudde haar hoofd. En hoe denk je een volgende te
kunnen maken als jullie niet meer praten? Ze probeerde een
glimlach aan Linda te ontlokken.

Ik denk niet dat we dat nog gaan proberen. Ik denk dat we
er klaar mee zijn.

Ze zag dat Gail haar niet begreep.

Ik kan er niet nog een kwijtraken. Ik weet niet eens of ik
het verlies van Lewis wel te boven kom.

Dit gevoel slijt vanzelf. Dat doet het altijd, probeerde
Gail haar gerust te stellen.

Maar hoe lang duurde het voordat jij je weer normaal
voelde? vroeg Linda beschroomd.

Hoe bedoel je?

Wanneer lukte het jou weer om de draad op te pakken?

Je kunt maar beter weer wat gaan rusten, zei Gail en ze greep haar tasje alsof ze een sprintje wilde trekken.

Wacht, zei Linda en ze greep het laken vast. Hoeveel kinderen ben jíj kwijtgeraakt? Ze besefte dat ze dit Gail nooit had gevraagd.

Nou, zei Gail kortaf, geen enkel.

Hoezo? Kwam hij soms niet bij jou in de tuin staan? zei ze beschuldigend.

Nou, natuurlijk deed hij dat wel. Hij komt in alle tuinen.

Maar hoe kan dat dan?

Gail keek ongemakkelijk. Hij verloor zijn interesse na een tijdje. Hij hoeft ze niet meer als ze eenmaal te oud zijn. En toen zei ze, zowel tactvol als trots: Eerlijk waar, ik heb gewoon nooit een fout gemaakt.

Linda had nog nooit gehoord dat een vrouw geen enkel kind was kwijtgeraakt. Niemand die daar ooit over praatte. Ze had geloofd dat het iets onvermijdelijks was, als een natuurwet, en geen fout van haar. Of ze voelde dat het wel een fout van haar was – natuurlijk was het een fout – maar omdat alle andere vrouwen dezelfde fout hadden gemaakt, leek het normaal om te falen en daardoor voelde zij zich normaal, wat het gevoel van falen ophief.

Het is niet jouw schuld, zei Gail en ze streek de kreukels in Linda's laken glad, waarmee ze bedoelde te zeggen dat het wel Linda's schuld was.

De buurtbewonersvergadering vond plaats in Linda's woonkamer. Ze serveerde kopjes koffie en de vrouwen gaven een kannetje room en de suikerpot aan elkaar door.

Toen al hun koffie licht en zoet was, tikte Helen met een lepeltje tegen haar kopje. Jij hebt deze vergadering belegd. Dus. De vrouwen staakten met tegenzin hun gebabbel.

Linda schraapte haar keel.

Ik ga op zoek naar de man. Ik ga mijn kinderen ophalen, en alle andere kinderen die hij heeft.

De vrouwen wachtten, alsof de clou nog moest komen.

Tenminste, ging ze verder, als er nog andere kinderen bij hem zijn.

Eindelijk gilde er iemand: Naar zijn húís?

Je kunt daar niet zomaar héén.

Je kunt ze niet zomaar óphalen.

De vrouwen praatten allemaal door elkaar heen.

Dit is niet hoe we het doen, zei Helen beslist.

Stel dat er, zoals je zei, geen kinderen zijn? Alleen hijzelf maar? zei Lorrie, met een stem die grensde aan paniek. Ik denk dat ik dood zou gaan.

En wat als ze er wel allemaal zijn? vroeg Nell, die thuis vier kinderen had en een van de weinigen was van wie de man drie kinderen had meegenomen. Wat als je mijn kinderen mee terugneemt? Ze keek de kring met vrouwen rond. Moet ik ze dan weer terug willen? Want dat wil ik niet. Ik wil ze niet meer. Terwijl ze dat zei, schudde ze achteloos met haar kopje en de koffie klotste over de rand, op het tapijt.

Nell heeft gelijk, zei Gail. Kinderen worden snel groot. Je herkent ze niet meer. Ik denk dat je teleurgesteld zult zijn met wat je aantreft.

Linda dacht dat ze een paar vrouwen wit zag wegtrekken toen Gail sprak. En beeldde ze het zich in, of hadden er een paar met hun ogen gerold? Ze bespeurde een nieuwe kilte in de lucht. Er was zoveel wat ze niet wist over deze vrouwen.

67

Linda schraapte haar keel en zei aangeslagen: Dat risico wil ik wel nemen.

Iedereen zakte ontmoedigd onderuit. Hadden de vrouwen dezelfde gedachten die zij had? Konden ze het wel aan om zeker te weten waar hun kinderen gebleven waren? Konden ze het aan om hen terug te krijgen? Of dachten ze aan heel andere dingen? Misschien dachten ze wel dat Linda een idioot was.

De vrouwen gingen, een voor een. Niemand wenste haar succes.

Linda smeerde een broodje om mee te nemen. Ze stopte het in haar tas, samen met haar grootste keukenmes, dat ze in een theedoek wikkelde zodat ze zich niet zou snijden als ze iets uit haar tas pakte.

Net als in een fabel was het huis van de man gemakkelijk te vinden. Het was het soort huis waarover kinderen elkaar vertellen tijdens logeerpartijtjes, met z'n allen onder een deken, hun gezichten verlicht met zaklampen.

Linda volgde het uitgesleten pad van de man, dat als een litteken door de tuinen van haar buren liep en uitkwam bij het dichte, donkere woud. Daarin woonde de man. Had iemand het ooit gewaagd hem op te zoeken? Of had het te gevaarlijk geleken, te onbekend? Linda hapte naar lucht bij elke ademtocht, niet van uitputting maar uit angst voor wat ze zou aantreffen.

Aan het einde van het onverharde pad was een open plek en op de open plek stond een huis. Het oorspronkelijke houten hutje stond nederig te midden van een doolhof van slordige bijgebouwen die zich naar alle kanten uitstrekte, met weer andere aanbouwen aan die bijgebouwen. Het zag er onbeholpen uit, als een achteloos weggeworpen timmermansduimstok. Linda was zo dicht bij haar eigen huis dat ze het getimmer kon horen van een buurman, die bezig was een nieuw terras aan te leggen. De bomen waren hetzelfde. Als zij haar tuin had laten verwilderen, hadden er dezelfde bomen gestaan. De esdoorn in zijn tuin was even groot als de esdoorn in de hare. De bladeren van beide bomen waren verkleurd tot het rood van een kerstster.

Ze ging het huis binnen, volgde een zigzaggende gang in de richting van het geluid van een televisie en kwam in een woonkamer terecht. Verschillende gescheurde banken stonden rond een kleine televisie. De muren waren van ruw hout, net als de vloer, die schuilging onder een mozaïek van niet bij elkaar passende kleedjes die samen één groot kleed vormden.

Op het kleed stond een autozitje met daarin Lewis, slapend. Hij zag er heel anders uit dan in haar herinnering. Hij was nu een paar maanden ouder en het zitje was al te klein voor hem. Linda herkende het zitje en was verbaasd dat ze nooit had gemerkt dat het was verdwenen. Ze vroeg zich af hoeveel andere dingen van haar de man had weggenomen die dag, afgezien van Lewis.

De man zat naast Lewis, in een gemakkelijke stoel, en wiegde met gestrekte arm het autozitje. Kinderen van verschillende leeftijden lagen languit op de vloer en speelden een spel. Ze bekeken haar steels, speelden toen verder. Aan het uiteinde van een sleetse, blauwe bank lag een klein meisje te slapen, opgerold als een balletje. Haar haar was een smerige bos vol klitten, met twijgjes en stukjes mos erin.

Linda jammerde zacht.

De man wierp haar een afkeurende blik toe. Wat dacht jij

dan? zei hij beschuldigend, zijn stem uitgehold door ziekte. Dat ik ze had opgegeten? zei hij spottend. Is dat wat je dacht aan te treffen?

Hij ging staan, onvast op zijn benen. Ik ben geen beest.

De man begon dingen in een plastic boodschappentas te stoppen.

Ik ga niet met je vechten, mompelde hij. Daarvoor ben ik te ziek. Hij stopte een bruine teddybeer in de tas, en een beschilderde ratel waarvan de verf op verschillende plekken tot op het hout was weggesleten.

Ergens ben ik wel blij dat je bent gekomen. Ik kan niet meer voor ze zorgen. Het is veel werk.

Het meisje op de bank strekte zich juist op dat moment uit. Ze rekte zich uit als een hond en kromde haar rug zo ver dat ze van de bank gleed en op haar hoofd terechtkwam. Toen Linda dit zag, draaide haar maag zich om.

Ze is van jou, zei de man. Hij tuurde naar Linda's gezicht, toen naar het meisje. Zo klaar als een klontje.

Het meisje krabbelde op en wreef over de plek waar ze zich had gestoten.

Linda telde terug in gedachten. Beatrice was nu zes.

Ze houdt van wandelen, zei hij, alsof hij een verklaring wilde geven voor haar haar. Hij duwde de tas in de armen van het meisje en knikte naar het autozitje. Pak het handvat en hou het goed vast. Je moet je moeder helpen je broertje naar huis te brengen. Ze ziet er niet uit alsof ze zelf nog recht kan lopen.

Beatrice en de man staarden naar Linda, alsof ze wachtten tot ze iets zou zeggen, of misschien gewoon weg zou gaan.

Linda had iets veel dramatischers verwacht. Een vecht-partij, misschien. Ze klemde haar handen om het handvat van haar tas met daarin het mes, knus verpakt in de theedoek. Iets meer dan dit. Dit, zo stelde ze zich voor, was ongeveer hoe het moest voelen als ze haar kinderen zou ophalen bij een oppas aan wie ze hen met tegenzin had toevertrouwd. Wil je niet je excuses aanbieden? vroeg ze uiteindelijk.

De man lachte, maar niet gemeen. Waarvoor? Ik ben gewoon zo. En ik heb goed voor ze gezorgd. Hij legde zijn hand op het hoofd van Beatrice en glimlachte naar haar. Hoe klinkt een uil, meisje?

Beatrice hield haar hoofd schuin. *Oehoe, oehoe,* zei ze, langzaam en ernstig.

Klopt, zei de man en hij strompelde langs Linda. Ze volgde hem naar een eetkamer vol tafels, gemaakt van platen triplex die op zaagbokken waren gelegd; langs de muren stond wat keukenapparatuur. De tafels stonden in rijen, met banken aan beide kanten. Het zag eruit als een kantine waar met gemak honderd kinderen konden eten.

De triplex wanden hingen vol foto's van de man met verschillende kinderen. Op één foto was hij nog jong en hielp hij een jongetje een vis omhooghouden, die even lang was als het jochie. Het jongetje lachte, met een enorme spleet tussen zijn tanden; de man was halverwege een lach gekiekt. Op een andere foto stond de man, ouder nu, voor het huis, nog zonder de wirwar van bijgebouwen. Om hem heen stond een groep kinderen van alle leeftijden in één grote omhelzing, misschien wel veertig in totaal. Iedereen lachte. Tussen de fotolijsten waren gekreukelde, oude brieven aan de wand geprikt. *Lieve vader,* zo begonnen ze allemaal. Aan sommige brieven waren foto's geplakt, foto's van andere gezinnen en Linda begreep dat deze kinderen waren uitgegroeid tot volwassenen, die de man brieven schreven, zoals ieder kind zijn vader brieven zou schrijven. Maar lieten de foto's wel echt hun gezinnen zien, of hadden ze hun kinderen gestolen uit de buurten waar ze nu zelf woonden? Waren ze geworden zoals de man? Of waren het gewone mensen?

Ze keek toe hoe de man zich bukte voor een van de koelkasten en een grote draagtas met appels vulde. Hij was grotendeels kaal, met lange oren en knoestige ellebogen. Hij zag er zoveel ouder uit dan toen hij in haar tuin had gestaan, hoewel dat nog maar een paar maanden geleden was geweest. Hij kwam moeizaam overeind en bracht de tas met appels naar Linda.

En natuurlijk neem je ook de anderen mee, zei hij. Toen, al verdwenen in zijn eigen nostalgie, mompelde hij: Mijn kinderen.

Linda voerde de processie van vreemde kindergezichtjes, allemaal verschillend in leeftijd, door het bos. De oudsten droegen de peuters. Telkens als ze probeerde hen te tellen, renden ze door elkaar. Ze schatte dat het er minstens vijfentwintig waren. Ze waren allemaal vies en stonken als een nomadenstam.

Beatrice liep naast Linda en zwaaide wild met Lewis' zitje. Het meisje moest haar bekend voorkomen, maar Linda vond haar het vreemdst van al de kinderen. Ze hield Linda in de gaten vanuit haar ooghoeken, klaar om achteruit te deinzen als Linda een vinger naar haar uit zou steken. Dus deed Linda dat niet.

Bij het weggaan hadden veel kinderen de man huilend omarmd en Linda wist zeker dat ook hij had gehuild. Meerdere kinderen noemden hem vader, maar ze hoorde ook dat een paar hem Kevin noemden. Kevin, herhaalde ze in zichzelf, en ze moest bijna lachen om hoe gewoontjes het allemaal begon te lijken. Aan het begin van het pad dat de man in het bos had uitgesleten, keek Linda om. De man lag onderuitgezakt op de veranda, al gelig en dood.

Wat als de man niet ziek was geweest? Zou hij met haar gevochten hebben om de kinderen? Linda wist het opeens niet meer zeker. Misschien was hij nooit van plan geweest ze te houden, om de verzorger te zijn van een onbekend aantal kinderen gedurende zijn leven. Misschien had hij op een bepaald punt in zijn leven andere plannen gehad, en was dit een zieke impuls geweest waaraan hij had toegegeven. En de verslagen jonge moeders dachten dat dit was wat het moederschap inhield, en lieten het voortbestaan. Ze leerden bepaalde verliezen te verwachten – en dus te accepteren. En de man wachtte zijn hele leven om ontlast te worden.

Linda bekeek haar treurige kroost. Ze stonden daar vol verwachting, verdrietig en hongerig. Haar maag trok samen.

Linda belde haar buren, liet boodschappen achter. De man is dood en ik heb alle kinderen. Kom kijken of er een paar van jou tussen zitten.

Maar een handvol vrouwen kwam langs. Ze riepen namen die geen reactie opleverden, tilden aarzelend kinderen op, hielden ze omhoog, tuurden naar hun hoofdjes en kontjes alsof ze iets wilden controleren, en vertrokken daarna met de kinderen die het beste pasten bij wat ze zich dachten te herinneren of die het meest aan hun wensen voldeden. Slechts één vrouw kreeg tranen van vreugde in haar ogen. De anderen straalden iets uit wat nog het meeste op ver-warring leek. Of afstandelijkheid. Als je iets waar je allang afscheid van hebt genomen opeens terug kunt krijgen, wil je het dan nog wel? Andere vrouwen die ze had gebeld antwoordden met hun stilte. Ze kwamen niet.

Linda herkende in sommige kinderen hun ouders. Doorgegeven neuzen, ogen, glimlachjes en temperamenten verraadden hen. Ze wist zeker dat ze deze kinderen aan hun ouders kon koppelen, hen terug zou kunnen brengen naar hun eigen huizen. Twee van de kinderen die eerder waren opgehaald verschenen opnieuw voor haar deur, met excuusbriefjes op hun jas gespeld. Ze had ze terug kunnen sturen naar hun besluiteloze ouders. Maar dat deed ze niet. Ze hield alle kinderen.

Linda huurde mannen in, die haar huis uitbreidden met een krappe aanbouw, en haar echtgenoot werkte extra uren om de verbouwing en alle andere onkosten te kunnen betalen. Vaak ging hij 's avonds na zijn werk met de auto weg, zat tot laat in een bar te drinken; alles om maar niet bij zijn nieuwe, drukke gezin te zijn. Linda herinnerde zich dat hij, toen ze pas getrouwd waren en fantaseerden over hun toekomstige gezin, had gezegd dat drie het ideale aantal kinderen was. Nu hadden ze er vijfentwintig.

De nieuwe aanbouw was even groot als de achtertuin, waardoor er geen ruimte meer was om buiten te spelen. De kinderen sliepen in rijen, in ruw getimmerde stapelbedden die haar aan een scheepsruim deden denken: industrieel, treurig, volwassen. Ze probeerde het niet zo te zien en overdacht in plaats daarvan dat deze gestolen kinderen niet langer gestolen waren. Ze waren gevonden. Bevrijd. Zij had hen gered. Maar was het nu allemaal goed? Haar echtgenoot was ongelukkig; de kinderen, die er tevreden hadden uitgezien bij hun huis in het bos, leken nu lethargisch. En hoewel ze haar kinderen terug had, voelde ze nog steeds het gemis van wat het had kunnen zijn, wat het nooit meer zou zijn. Misschien probeerden haar buren haar dat te vertellen. Moederschap was van nature doordrenkt met verlies.

Ze probeerde haar eigen kinderen dicht bij zich te houden. Ze zette hun bedden in haar slaapkamer. Voor Lewis eerst een wieg en daarna zijn eigen bedje, met de voorkant van een trein op het voeteneinde geschilderd en gestreepte lakens, zoals het uniform van een conducteur. En voor Beatrice een bed met roze lakens en een dekbed afgezet met kant. Maar Beatrice sliep er nooit.

Beatrice sloop 's nachts door het huis, doorzocht kasten en neusde tussen de boeken. Ze bleef lang buiten en kwam terug met dingen die niet van haar waren. 's Ochtends trof Linda haar dan aan, opgerold in een hoek onder een schimmelige, vergeelde deken, die Linda niet bekend voorkwam en waarvan ze zich niet kon herinneren dat ze die uit het huis van de man had meegenomen. De sokken van Beatrice hingen halverwege haar voeten, op de manier waarop sokken van kindervoeten afglijden, maar nooit van de voeten van volwassenen.

Beatrice bewaarde haar schatten in een hoek van de woonkamer en 's nachts, als de kinderen in bed lagen, Lewis sliep, haar echtgenoot overwerkte om het overbevolkte huis te mijden en Beatrice met grote stappen door de gangen liep, bekeek Linda haar verzameling. Tussen de vieze honkbalballen en verloren autosleutels vond Linda een doosje met brieven die ze aan haar gestolen dochter had geschreven, in de hoop haar die op een dag te kunnen geven. In een boek over rouwverwerking, vol ezelsoren en aantekeningen in Linda's handschrift, vond ze babyfoto's, die tussen de pagina's waren gestoken. Onder het boek lag Linda's haarborstel vol droge, grijze haren, een trui die ze al in jaren niet had gedragen, een strook roze stof van Beatrice' eigen beddengoed, stinkend naar het dure parfum op Linda's toilettafel.

Linda wachtte tot ze warme emoties zou voelen, maar ze kreeg een onbehaaglijk gevoel bij de verzameling. Dit bestuderen van het verleden deed Linda nog meer aan het meisje twijfelen. Ze kon met geen mogelijkheid Beatrice zijn; Linda voelde niets voor haar. Soms vroeg ze zich af of de man tegen haar had gelogen of dit meisje had verward met een ander. Als de kinderen bij elkaar zaten, bekeek Linda alle meisjes en probeerde iets voor hen te voelen, een verlangen, wat dan ook. Ze vroeg zich af: zou mijn Beatrice er zo hebben uitgezien op haar zesde? Maar geen van hen was de dochter over wie ze jarenlang had gefantaseerd. En evenmin was het die indringster met haar starende, sluwe blik en de twijgjes in haar haar, die nooit zeker leek te weten waar ze moest staan.

Op sommige avonden, nadat Beatrice was weggeslopen, stond Linda bij de huisdeur, met haar hand op de knop, en overwoog ze de deur op slot te draaien. Wat zou er van haar worden? Linda stelde zich voor dat het meisje terug zou gaan naar het uitwaaierende huis in het bos waar ze was opgegroeid, waar ze haar schuilplekjes kende. Ze zou er met vieze voeten over de kale vloeren lopen, nieuwe foto's aan de muren prikken, er leven als de man, dingen verzamelend tijdens haar strooptochten, wat uiteindelijk zou leiden tot het verzamelen van kinderen.

Dit waren de zeldzame momenten waarop Linda een oprechte, begrijpelijke emotie voor Beatrice voelde. Ze had medelijden met het meisje, dat zo ver van huis was. Maar dat was niet hetzelfde als liefde.

Steeds vaker begon ze zich een Beatrice voor te stellen die echt zwierf, onopgemerkt, wild; in staat alle uiterlijkheden van haar echte thuis en dat van Linda van zich af te werpen. Ze zou een nieuw thuis vinden in de holle stam van een dode boom, of misschien in een vochtige grot, diep verscholen in een park. Ze zou op dennentakken slapen tijdens de hete zomers en 's winters rillend onder haar smerige gele deken liggen.

Linda verzon avondenlang avonturen voor Beatrice, obsessief nadenkend over details. Ze kon zichzelf ervan overtuigen dat dit allemaal ingrediënten voor een benijdenswaardige kindertijd waren; Beatrice die drinkt uit fonteinen en baadt in meren, die 's nachts naar uilen roept en overdag achter vlinders aan zit, die zich verschuilt voor nieuwsgierige honden, wintervoorraden van eekhoorns plundert, kraaien bespiedt en redevoeringen houdt tegen de grootste bomen, die onkruid in haar haar weeft en met verbrand hout tekeningen maakt op trottoirs, die een prinses is en straatnaambordjes leest alsof het spannende avonturen zijn, die lacht als de eenden haar grappen vertellen, door vuilnis spit en vanuit een boom gelukkige gezinnen bespiedt die picknicken op een groot gazon, en het moment afwacht waarop ze zich onopgemerkt onder hen kan mengen, alsof ze erbij hoort, om dan hun lunch te stelen. En meer.

Girl on girl

Het schooljaar begint weer en op de een of andere manier is iedereen iemand anders, iemand die ouder is, iemand die geïnteresseerd is in een leven ver weg in de toekomst. Iedereen behalve ik. Ik bracht de zomer door op mijn vaders echtscheidingsflatje – ingericht om afstandelijk en bewapend te lijken – en niemand die het iets kan schelen. Ik kijk hoe mijn oude kliekje op de dansvloer tegen jongens op rijdt, terwijl de mannelijke coaches-schuine-streep-docenten-maatschappijleer ze ruw uit elkaar trekken, lichaamsdelen van meisjes ongepast betasten en daarmee wegkomen in het heetst van de autoritaire strijd. Ik zie het allemaal en krimp ineen, maar ik zou willen dat ik mee mocht spelen.

Ik wil betast worden. Ik wil dat iemand me ergens te stevig beetpakt. Ik ben heet van schaamte. De goede soort.

Ik wend me tot Clara. Ze zegt nooit iets, omdat haar ouders professoren zijn. Ze draagt nog meisjeshemdjes en is nog altijd dol op paarden. Ze lijkt wel een dode ster, zo ver is ze verwijderd van het dansen.

'Hoe denk je dat meneer Ryan smaakt?'

Clara wordt rood. Ik ook.

Mijn wiskundeleraar drijft een stelletje uiteen door zich tussen hen te wurmen, zijn kruis wrijft langs een derdejaars in een glitterrokje. Hij heeft een kastanjebruine baard en glazige ogen. Puntige schouders. Ik stel me voor dat ik zijn bleke huid bekijk, onder die dunne, donkere haartjes op zijn onderarm, terwijl hij op mijn tafeltje leunt en me vertelt wat x is. Hij smaakt vast naar zojuist opgegraven stenen. Het water loopt me in de mond. Hij wiebelt zijn rekenvingers in mijn richting, zegt dat ik een rijpe peer ben. Hij is erg dichtbij. Mijn oren tuiten. Peren zijn verdorven.

Ik geef mezelf een mep op mijn kop om de seksfilm te laten stoppen.

Op dat moment zie ik Marni, die haar haar naar achteren gooit zoals vrouwen dat doen in talkshows die 's middags worden uitgezonden. Ze schreeuwt tegen haar vriendje Mack. Ze overstemt de muziek en het klinkt als één lang *wiiieeeee*. Marni is mooi en mollig, met een onnatuurlijk smalle taille en onnatuurlijke grote billen en tieten. Haar wangen en lippen zijn vlezig, maar haar kaaklijn is scherp en ze ziet eruit als een sexy victoriaanse porseleinen pop. Ze heeft een enorme bos haar, waardoor ze normaal geproportioneerd lijkt, met een hoop voor het grijpen. Maar ik heb gezien hoe ze haar pyjama aantrekt en ik heb haar op een verjaardagsfeestje een hele pizza zien verslinden, en er is niets normaals aan haar proporties. Ze is een schitterende koe. Ze was mijn beste vriendin. Ik heb haar deze zomer zesentwintig brieven geschreven; zij schreef me er niet één terug. We hebben al sinds de onderbouw niet meer gepraat.

Mack grijpt Marni's haardos. Hij trekt haar tegen zich aan, mond open, tong op zoek naar de hare. Marni steekt haar hand op. Misschien wil ze haar vingers in zijn mond stoppen, wat in het rond tasten. Dat zou ik graag zien. Maar ze krabt over zijn gezicht en sleept zich naar de overkant van de drukke dansvloer. Stelletjes maken ruim baan, want ze kijken tegen haar op; het gerucht gaat dat ze genomineerd is als *homecoming queen*, hoewel ze het kan schudden als cheerleader. In een hoek van de gymzaal wurmen Theresa en Hill, Marni's nieuwe beste vriendinnen, zich los van hun vriendjes. Ze werden betast, maar op de een of andere manier voelen ze dat Marni weggaat en volgen ze haar. Ik denk dat het daarom gaat, nu, als je beste vriendinnen bent. Ik weet alleen wat er gebeurt omdat ik alles in de gaten hou vanuit Tribuneland.

'Ik vraag me af wat dat allemaal was,' zeg ik tegen Clara. Ik klink samenzweerderig. Ik probeer te roddelen. Maar de dode ster haalt amper haar schouders op.

Mijn knie trilt als de naald in een kompas.

Ik weet Marni's favoriete plekje.

Dansende paartjes trappen op mijn tenen alsof ik een hinderlijke kat ben. Het duurt twee hele nummers voordat ik aan de andere kant van de gymzaal ben. Ik duw met mijn schouder tegen de roestige deur. Hij knarst.

De gang is stil, maar vol stelletjes die tegen de lockers hangen. Rokjes schuiven langs dijen omhoog; broeken zakken af. Ik weet niet of het gewoon mode is, of dat ze allemaal op het punt staan hét te doen. Waar zijn de leraren? Wat is dat voor een stank? Ik wil hun haren pakken terwijl ik langsren, en er een geweldige ruk aan geven. Ik wil hun benen onder hen uit trappen en zien hoe ze vallen.

De meisjes-wc ligt een verdieping hoger, aan het einde van de gang. Ik hoor gebons en ren de trap op. Eenmaal boven klinkt het lawaai luider. Ik hoor een doffe klap en dan 'Oempf', dan weer een klap en 'Oempf'. Achter de deur krijst Marni 'Harder!' en het is alsof ze in mijn oor schreeuwt.

Ik duw de deur op een kier en zie Marni met uitwaaierend

haar op de vloer liggen, haar jas onder haar uitgespreid. Ze ziet er romantisch en prinsesselijk uit, en dan stampt Theresa met haar voet hard op Marni's dikke, uitpuilende pens.

'Oempf.' Marni's engelachtige gezicht vertrekt. Hill trapt haar met haar maatje veertig. Allebei zeggen ze 'Oempf', en dan hijgt Hill alsof het heet is.

'Kom op,' gromt Marni. Ze wil Theresa's been pakken, net als het weer neerkomt. Marni's hoofd knalt tegen de vloer. Een misselijkmakende klap.

Ik hap naar adem. Drie hoofden schrikken op. Ze zien dat ik het maar ben.

'Wat wil je, trut?' sneert Marni.

Ze ligt daar: verslagen, koninklijk. Tocht door de barsten in de ramen laat de spinnenwebben trillen. De verwarming tikt. De stampende meisjes puffen uit. Iedereen wacht. Ik wil meedoen, dat wil ik. Ik wil een paar ferme trappen uitdelen. Ik wil haar buik missen en tegen haar schouder, haar hoofd schoppen. Ik wil een tandenborstel in haar keel rammen, zodat ze mager wordt.

'Hier ga je problemen mee krijgen,' zeg ik. Ik probeer luid en sarcastisch te klinken, maar dat lukt me niet.

De meiden kijken elkaar aan en lachen net iets te hard; ieder één harde, gemaakte 'Ha!' Moeiteloos op elkaar afgestemd.

Theresa zet haar voet op Marni's buik, alsof ze een ontdekkingsreiziger is die haar claimt. 'Problemen heeft ze al,' zegt ze en ze kromt haar rug, steekt haar pens naar voren en wrijft erover. Ze trekt een pijnlijk gezicht en kreunt.

Marni op Mack. Mack in Marni. Marni met een kleine Mack. Mijn hoofd tolt. Ik wil toekijken, de geluiden horen.

Marni fronst dreigend en duwt Theresa weg, die languit op de tegels valt en voor dood blijft liggen.

'Rot op,' brult Marni tegen iedereen, maar ik ben degene die wegrent.

Buiten de gymzaal staat een groepje leraren kwakend te roddelen. Een heupfles wordt weggestopt als ik hijgend bij hen tot stilstand kom. Ik vertel dat Marni Duke in elkaar wordt geslagen in de meisjes-wc op de eerste verdieping. Ik kan ze niet vertellen waarom. We zijn nog maar veertien.

Ik ben heet van schaamte. De soort die je in je buik voelt. De soort die pijn doet. Ik ren naar huis, stomp onderweg tegen laaghangende takken.

Tijdens het eerste uur op maandag fluistert iedereen over een vechtpartij in de meisjes-wc. Het gerucht gaat over Marni, dat één meisje haar vasthield terwijl een ander haar schopte. Mensen happen naar adem. *Marni, de homecoming queen?* Empathisch gekoer alom.

Ik word naar het kantoor geroepen.

Marni, Theresa en Hill zitten onderuitgezakt in de lobby als het schoolhoofd me naar binnen roept. De meiden kijken dreigend als ik de deur sluit.

Hij vraagt: 'Gabby, wat heb je gezien?'

Ze kijken me intimiderend aan door het raam en ik durf niets te zeggen totdat het schoolhoofd de jaloezie heeft laten zakken. Terwijl die naar beneden gaat, steekt Hill een vuist omhoog. Ik vang Marni's blik, een blik zo vertrouwd dat ik even dankbaar ben voor haar aandacht. Dan onttrekt de jaloezie haar aan het zicht. Ik ben alleen.

Het schoolhoofd wil mijn versie van het verhaal.

'Ik heb geen versie,' zeg ik.

Hij zucht. 'Vertel gewoon wat je hebt gezien.'

Ik vertel hem wat ik heb gezien – Marni op de vloer, Hill en Theresa die haar schoppen.

'Waar?' vraagt hij.

Ik raak mijn buik aan, zie hoe hij krabbelt op zijn schrijfblok. 'Maar ik ben weggerend,' zeg ik. 'Verder weet ik niets.'

'Hebben ze iets tegen je gezegd?'

Ik schud van nee. Ik kan het niet vertellen.

Hij staart me aan, pen in de aanslag.

Ik schraap mijn keel, wend mijn hoofd af terwijl ik spreek. 'Marni maakte kort daarvoor ruzie met haar vriendje. U zou het hem kunnen vragen?'

Het schoolhoofd lijkt verward. 'Was hij erbij?'

De krullen in het patroon van het tapijt bewegen; ze willen langs mijn been omhoogkruipen. Ik schud mijn hoofd weer. 'Nee.'

'En hoe weet jij van deze vechtpartij?'

Ik haal mijn schouders op en kijk naar mijn handen, de magere vingers met de dikke uiteinden. Het lijken kikkerpootjes; kleverig, eng. Ze zouden een lelieblad verwoesten. Ik wrijf over mijn strakgespannen jeans. Er stinkt iets. Ik weet zeker dat ik het ben.

'Ik keek naar hen,' antwoord ik.

Het schoolhoofd knikt, bladert door een stapel papier – de papieren versie van mij.

Ik kan weer gaan.

Ik hou mijn adem in als ik in de lobby kom, verwacht elk moment een honkbalknuppel tegen mijn schedel, maar Marni en de meiden zijn weg.

Ik loop naar de kamer van de verpleegkundige en kots op haar bureau. Ze stuurt me naar huis. Ik neem de route door de achtertuinen, zodat niemand me ziet.

Tijdens het eerste uur op dinsdag fluistert iedereen over de vechtpartij die níét plaatsvond tussen Marni en Hill en Theresa. Mensen knikken. *Het zijn hartsvriendinnen, dat weet je toch?* Wie heeft er gelogen? Het gerucht gaat dat ik dat ben. 'Gabby,' fluisteren de meisjes samenzweerderig, klaar om me te haten. 'Wie?' Onzekere blikken van tafeltje naar tafeltje. 'Gabrielle?' Hoofden schudden. Geen herkenning. En ik zit ernaast.

Ik sta in de rij voor de lunch en Theresa verschijnt achter me, ramt haar plastic dienblad in mijn ruggengraat. Ik klap dubbel over mijn ravioli.

'Marni wil je zien, voor school, voor het vijfde lesuur. Zorg dat je er bent,' blaat ze.

Ik ga naast Clara zitten. Ze gedraagt zich sceptisch. Ik raak mijn eten niet aan. De tienminutenbel.

'Clara,' sis ik. 'Kom mee naar de wc.'

Ze schrikt alsof ik haar zojuist wakker maak. Uit het raam kijken is haar manier van slapen. Maar ze loopt achter me aan.

De wc op de begane grond. Veel drukte na de lunch. Ik kijk onder de deuren. De rokers die zich nergens iets van aantrekken, gaan schuil achter een rookgordijn bij de wastafels. Mijn ogen tranen.

Ik grijp Clara's hand, maar ze trekt die snel terug, geschokt. Te intiem, lijkt ze te zeggen. Ik denk dat ik haar haat. 'Gewoon buiten de wc de wacht houden, oké? Stuur me een berichtje als de bel gaat en je Marni, Hill of Theresa ziet.'

'Waarom? Omdat je hebt gelogen?'

Hoe weet Clara van het gerucht af? Ze is een muurbloempje. 'Ik heb niet gelogen. Doe het nou maar.'

Ik verberg me in een wc en ga gehurkt op het toilet zitten.

Ik kan alles in de gaten houden door de deur op een kier te zetten. Ik wacht.

Meisjes stormen binnen, halen borstels door hun haar, brengen met een staafje glanzende lipgloss aan, camoufleren, spugen in de wastafels. Goedkope parfums hangen als mist in de lucht.

De bel gaat; de wc loopt leeg. Water klokt in de afvoer.

Ik stuur Clara een vraagteken, maar krijg geen antwoord. Ze is waarschijnlijk een leeg klaslokaal binnengewandeld, waar ze wacht tot haar leven begint.

De deur zwaait open. Ik ruik Marni voordat ik haar zie, de chemische kokosgeur van haar zelfbruinende crème. Hill en Theresa proberen hun afgrijselijke, knorrende lachjes te onderdrukken. Ze lopen langs de rij met wc's, trappen elke deur open. Ze vragen zich niet af waar ik ben. Ze wéten het. Ik vouw mezelf op tot een balletje op het toilet. De luchtvlaag van de deur blaast mijn pony uiteen.

Hill trekt me naar buiten. 'Leuk geprobeerd,' zegt ze spottend.

Clara gluurt van achter een deur die op een kier staat. Ik vang haar blik. Ik wacht tot ze een excuus mimet. Ze schat de situatie in en, ongelooflijk, glimlacht naar me voordat ze ervandoor gaat. Prettige dag nog. Ik haat haar.

Hill en Theresa houden ieder een van mijn armen vast achter mijn rug. Marni glimlacht en ramt haar knie zo hard in mijn maag dat ik kokhals. Ze wijken uit voor mijn kots, maar als die niet komt, geeft Marni me weer een knietje.

'Oempf,' zeg ik en ik hap naar adem. Ik ben niet groot, zoals Marni. Ik ben mismaakt, zwak. Mijn benen zijn als boomstammen, maar in mijn deegachtige bovenlichaam heb ik vogelbotjes, en haar knie komt precies in het midden terecht.

DIANE COOK

Ik klap dubbel. Hill en Theresa proberen me rechtop te trekken, maar ik wil naar beneden, niet uit lijfsbehoud of krachtvertoon, maar uit verslagenheid. Ik wil de vloer omarmen. Mijn benen trillen. Marni's handen pakken mijn gezicht en ik laat me er zachtjes door omhoogtrekken, want het zijn haar handen. Ik ken hun tederheid van toen zij me dingen leerde, mijn vingers op gitaarsnaren plaatste terwijl zij aansloeg, hoe ze mij vasthielden toen ik leerde fietsen. Hoe ze me troostten toen mijn vader was vertrokken. Ik kijk haar aan en zie haar lieve, roze gezicht. Ze draagt tegenwoordig meer make-up en onder al die kokosgeur ruikt ze muf, alsof de rook verstrikt is geraakt in al dat haar, hoewel ze buiten rookt zodat de rook kan wegwaaien. Even denk ik dat ze naar me zal glimlachen, een veeg van mijn wang zal wrijven, me zal zoenen. Maar dan, uiteindelijk, komt haar vuist op mijn gezicht neer. Ik hoor gekraak en nu is het de vloer die mij wil omarmen. Ik zie hun glimlachjes in mijn val.

Terwijl ik daar lig, huil ik omdat geen van hen iets zegt als ze weggaan. Ik ben zo oninteressant dat ze geen woorden vuilmaken aan mijn ondergang. De enige geluiden komen van hun verschillende schoenen op de tegels: het tikken van te volwassen hakjes, het gepiep van gymschoenen, het gestamp van intimiderende laarzen. Ze lopen naar buiten door de piepende deur, de gang in. Het kan ze niets schelen dat ze te laat zijn voor het vijfde lesuur.

De tegels zijn koel. Viezigheid op mijn wangen. Ik zie de vloer van de wc vanuit kikkerperspectief, zie overal klitten meisjeshaar en gemorste sigarettenas liggen. Een afgebroken kunstnagel met glitters ligt zo dichtbij dat ik hem bijna kan aanraken.

Ik word wakker in mijn bed. Mijn hoofd doet pijn. Ademhalen is lastig. Er zit iets hards over mijn neus. Voorzichtig peuter ik erin. Mijn neus zit verstopt met bloedkorsten. Ik probeer water uit een glas te drinken, maar dat kan niet vanwege mijn neus.

De deur kraakt. Aarzelend steekt mam haar hoofd naar binnen. Ze glimlacht nerveus, met rimpeltjes rond haar ogen.

'O mooi, je bent wakker.' Ze gaat op de rand van mijn bed zitten, strijkt het haar over mijn voorhoofd glad en dan merk ik dat ik daar een bult heb.

'Wat is er gebeurd?' zeg ik gorgelend.

Haar hand stokt, moederlijke bezorgdheid. 'Weet je dat niet meer?'

'Nee.'

De hand streelt weer over mijn voorhoofd. 'Wil je me vertellen wie dit heeft gedaan?'

'Nee.'

Haar hand stokt weer, rust zwaar op de uitpuilende bult. Het doet pijn. Weet ze dat ze me pijn doet? Ik denk van wel.

'Ik bedoel, ik kan het me niet herinneren. Ik bedoel, ik weet het niet.'

Mam zucht, teleurgesteld. 'Goed, vooruit dan maar, Gabrielle. Maar we hebben het er nog over.' Dan klaart haar gezicht op, alsof iemand haar zojuist de pagina's met de volgende scène heeft aangereikt. Ze zegt: 'Er is bezoek voor je!' Ze strijkt het laken op mijn borstkas glad. 'Liefje, Marni is er.'

Ik verstrak. 'Waarom?'

Ze glimlacht vol zelfmedelijden. Haar dochter is raar. 'Om jou te zien. Om te zien hoe het met je gaat. Is dat niet

aardig?' Ze wacht even. 'Marni is al een hele tijd niet langs-
gekomen. Ik dacht niet dat jullie nog vriendinnen waren.'

'Zijn we ook niet.'

'Nou, dan is het toch dubbel aardig dat ze langskomt?
Ben je er klaar voor?' Zij is er al wel klaar voor, merk ik. Ze
speelt al met de deurknop.

Ik herinner me Marni's vuist, aanstormend door het roke-
rige licht dat door de gebarsten ramen van die wc viel. Het
was halverwege-de-dag-schemer. Zo schemerachtig is het
hier nu ook.

Ik knik en als mam weggaat, ga ik rechtop zitten.

Marni trippelt naar binnen, kalm, haar rug recht, haar
gezicht vriendelijk en sereen. Voor even ben ik opgelucht.
Maar als de deur achter haar in het slot valt, kromt ze dreigend haar rug. Handen op haar heupen. Ze kijkt naar mijn
gezicht en snuift. 'Je ziet eruit als een stuk stront.'

'Kom je je excuses aanbieden?'

Haar ruwe lach heeft ze van toneelles. 'Nee.'

'Hebben ze je geschorst?'

Alweer die ruwe lach. 'Waarom zouden ze? Wij hebben
niets verkeerds gedaan. Ze hielpen me. Dat doen vriendinnen voor elkaar.'

Ik krimp ineen. Wat een steek onder water. 'Maar waarom
ben je dan hier?' Ik doe alsof het me niet raakt.

Marni wrijft in haar handen en kijkt de kamer rond, kijkt
naar alles, behalve naar mij. Ze haalt haar schouders op.
'Het is niet gelukt,' zegt ze, gemaakt achteloos. 'Ik wil dat
het lukt. Maar nu zijn Terry en Hilly bang geworden.' Mijn
maag trekt samen bij de koosnaampjes, de intimiteit ervan.
'En dat is jouw schuld, weet je. Dus.'

'Dus wat?' Ik schreeuw precies hard genoeg, maar niet zo

hard dat mam het kan horen, waar ze ook is.

'Maak het af,' schreeuwt ze terug, maar gemener.

'Waarom ik? Waarom niet Mack?'

Marni kijkt me vol walging aan, alsof er een gruwel on-der mijn frisse, gebloemde lakens ligt. 'Ik dacht dat jij mijn vriendin was.' Haar kin siddert en hoewel ik weet dat de lo-gica hier zó niet deugt dat ik er bijna in stik, kan het me niet schelen.

'Ben ik ook.'

Ze wacht tot ik het bewijs.

Maar ik concentreer me op het gevoel van de lucht in mijn neus, naar binnen, naar buiten, om de groeiende, ver-wachtingsvolle spanning in mijn buik af te remmen.

'Prima,' sist Marni. 'Dan doe ik het zelf wel.' Ze stompt hysterisch in haar buik, haar vingers vol goedkope ringen, maar ze weet amper tot haar dikke binnenband door te drin-gen.

'Hou op,' smeek ik en ik grijp haar handen. 'Je weet dat het zo niet gaat lukken.'

Ze kijkt me aan.

'Ik moet erop gaan staan.'

Marni knikt.

Ik maak een zacht bed op de vloer met mijn dekbed en de quilt die mijn grootmoeder bij elkaar heeft genaaid. Zo maakte ik een bed voor Marni als ze bleef logeren. Ze gaat liggen; ik hou haar hoofd vast, leg er een kussen onder. Ik spreid haar haar uit, alsof ze in een vijver drijft. Ik weet dat de kussensloop na-derhand naar kokos zal ruiken. Ik weet dat ik de sloop pas zal wassen nadat de geur uit zichzelf is vervlogen.

Ik leg haar handen gevouwen op haar borstkas alsof ze

dood is, en ik zie de rouwranden van viezigheid onder haar nagels. Het is de viezigheid van vieze dingen. Het is Macks rugvel, losgekrabd. Ze maakt ze nooit schoon. Zou het zo gaan? Ik kwijl.

'Hoe voelt het eigenlijk?' vraag ik, omdat zij de enige is die me dit kan vertellen, ook al vindt ze me dan niet leuk meer.

Marni rolt met haar ogen. Ik wil haar hard in haar gezicht meppen, maar ik heb niemand anders aan wie ik het kan vragen. Voelt het glibberig, als lijm? Voel je druk, alsof er iets in wordt geduwd? Ik zie mijn vaders kalender met meidenfoto's voor me, die op de roestvrijstalen koelkast hangt. Ik kan het hem niet vragen. Ik kan het mijn moeder niet vragen. Ik kan het Clara niet vragen, want ik haat haar en wat weet zij er nou van?

Marni bijt peinzend op haar lip en ik denk dat ze het bijna gaat vertellen, maar dan trekt haar gezicht samen alsof ze gaat huilen, heel even maar. 'Doe het nou maar,' beveelt ze en ze stompt tegen mijn scheen.

Ik laat me op mijn knie vallen, het voelt alsof mijn hele gewicht erachter zit, maar mijn knie verdwijnt in haar, alsof ik op het veel te zachte bed van mijn moeder neerplof.

'Oempf,' brult ze.

'Sst. Je maakt te veel herrie,' fluister ik. 'Waarom ga je niet gewoon naar een dokter?'

Uit de manier waarop ze me aankijkt, kan ik niet opmaken of er iets is wat ik nog niet weet over de wereld, of dat het wellicht andersom is. Er is iets met de wereld wat ook voor haar nog geen werkelijkheid is, zoals dokters, of problemen die gemakkelijk zijn op te lossen. De wereld is een plek waar dingen te moeilijk lijken om uit te leggen, en dus blijven ze geheim.

Weer laat ik me op mijn knie vallen.

'Oo, oo,' kreunt ze en ik maak me zorgen dat mam het hoort.

'Hou je kop,' snauw ik. Ik voel de snijdende schaamte, alsof ík in de problemen zit, zelfs al weet niemand ervan. Zo was het altijd met Marni – spanning en pijn. Het voelde altijd goed en fout, door haar. Ik geef haar een harde trap. 'Jij maakt altijd problemen.'

Ze hapt naar adem en begint dan te snikken. 'Je bent zo gemeen.'

'Ben ik gemeen?'

'Jij bent de gemeenste!'

Ik vond niet dat ik gemeen was. Ik dacht dat Marni gemeen was. Waren we samen gemeen? En als we samen gemeen waren, waarom zouden we dat nu niet meer kunnen zijn? Ik wil op mijn gemeenst zijn, samen met haar.

Ik vind een paar opgerolde sokken op de vloer en duw ze in Marni's mond. Ze protesteert en probeert ze uit haar mond te trekken, maar ik duw ze verder naar binnen, tot ze kokhalst. Ze wordt rustiger en kijkt me met grote, opengesperde ogen aan.

Ik duw mijn teen in haar dikste stuk, net onder haar navel. Ik zet mijn blote voet lichtjes neer, grijp me aan mijn bedstijl vast om mijn evenwicht te bewaren. Ik zet mijn andere voet neer. Het is alsof ik in een opblaasbaar springkasteel sta, op een straatfeest; overal waar ik mijn voet neerzet, geeft het mee en het is moeilijk mijn evenwicht te bewaren. Mijn voet glijdt weg, schraapt langs haar zij. Ze krimpt ineen. Uiteindelijk sta ik stevig, mijn hand aan de bedstijl, de andere arm uitgestrekt. In evenwicht. Haar buik maakt een zompend geluid onder mijn voeten, maar onder al dat vet voel ik een kleine, harde bobbel die uit zelfverdediging omhoog lijkt te komen, vechtend tegen mijn gewicht.

Ik begin op en neer te wippen, lichtjes, en Marni puft zachtjes op mijn ritme in de sokken. Met elke beweging win ik aan stootkracht, alsof ik op een trampoline spring, en dus wip ik telkens hoger, sneller. Ik glij niet meer weg. Marni's gepuf klinkt luider en ik duw mijn hielen in haar buik als waarschuwing. Ze gilt van ellende achter de sokken en daarna klinkt er alleen nog een zacht gegorgel uit haar keel, alsof ze gaat overgeven.

Het is alsof al haar vet is gesmolten en het enige wat ik nu nog voel is die geheime bobbel. Ik wil dat die bobbel openbarst, ik wil de draak verslaan, de prinses redden. Ik wil pas ophouden als ik zeker weet dat het gelukt is.

De tranen stromen uit Marni's ogen; ze druppelen in haar haar, verzamelen zich in haar oren, kleuren de kussensloop donker. Haar geballde vuisten ontspannen zich en ze slaat haar handen voor haar ogen.

Ik kan het niet verklaren, maar ik heb me in tijden niet zo goed gevoeld. De laatste keer dat ik me zo goed voelde, was op het einde van het vorige schooljaar, toen Marni en ik en nog een paar meisjes ons de hele laatste schooldag in een bioscoop verscholen, zonder gepakt te worden. We hadden gehoord dat het mogelijk was van iemands oudere zus. We gingen voor het einde van een film weg, verstopten ons in de wc's en wachtten daar tot de volgende film begon. Marni en ik in dezelfde wc, gehurkt, onze voeten op de wc-bril, leunend tegen de muur, gedempt lachend achter onze handen omdat we iets deden wat andere jongeren deden. We werden net als andere jongeren. En het was zó gemakkelijk. Gewoon, stap voor stap.

Mens vs. natuur

Het was al dagen geleden dat Phil en zijn twee oudste vrienden dronken op het grote meer op dikke forellen hadden gevist, het zoete, oranje vlees dat zo goed smaakte als je het op houtskool roosterde, onder sterren die absurd, als vogelzaad, over de hemel uitgestrooid leken te zijn.

Dagen geleden dat de benzine van Phils boot op was geraakt, waardoor ze nu, tijdens hun jaarlijkse visuitje, waren gestrand.

Dagen geleden dat Phil een andere boot of passerende tanker had gezien, wat vreemd was op een meer dat meestal vergeven was van commerciële vaartuigen en plezierjachten.

Dagen geleden dat ze hadden gewed wanneer ze gered zouden worden, de wedstrijdjes ver spugen zat waren geworden, evenals het uitwisselen van seksavonturen en het spelen van denkbeeldige kaartspelletjes.

Dagen geleden dat ze de braadworstjes voor bij het bier en de broodjes hadden verslonden. De zoete aardappelen, gegaard op houtskool. De eieren voor het ontbijt. De boter om in te braden. De drie bloederige biefstukken die ze voor de laatste avond hadden gekocht, omdat ze dan de vis waarschijnlijk zat zouden zijn. Al de biefstuksaus.

Dagen geleden dat Dan had verklaard dat je het water kon drinken, zelfs al poepten en pisten ze erin, met de woorden:

'Het raakt toch allemaal verdund,' terwijl hij een drol weg-
duwde.

Dagen geleden dat Ross, op de voorplecht staand als een
versiering op een motorkap, met een hand boven zijn ogen
tegen het bronskleurige licht bij zonsopgang, volhield dat
hij land zag achter de zich oplossende mist, terwijl hun grote
jacht gewichtig en nutteloos schommelde op de golven.

Terugkijkend was het duidelijk dat ze koortsig waren door
blootstelling aan de elementen, overmoedig geworden door
aannames, om niet te zeggen dronken, toen ze besloten het
negen meter lange plezierjacht te verlaten – het enige wat
Phil uit de scheiding had weten te redden, met zijn comfortabele kajuit en de minikoelkast, waarin nog zo'n dertig
biertjes lagen – om in een krappe rubberboot te klimmen. Ze
hadden gejuicht, wisten zeker dat ze ermee naar een oever
konden varen, waarvan Ross volhield dat die er was. 'Over
een uurtje lopen we op het strand. Ik weet het zeker,' had
hij gezegd. Ze zaten rechtop, met opgetrokken knieën, als
koningen op driewielers; ze roeiden in een extatische trance.

Maar dat was dagen geleden.

Ross en Dan, moe van het doelloze roeien, masseerden hun
zere schouders en bekeken Phil sceptisch – dacht hij – maar
hij hoopte dat het waarderend was, omdat hij had gezworen
dat hij hen beiden naar land kon roeien, *Geen probleem*, met
de twee kinderroeispanen, weggegooid door een zomer-
kamp en bedekt met bladderende groene verf.

'Ik kán dit,' zei Phil geruststellend. 'Ik heb erger in de shit
gezeten dan dit.' Hij was immers beroepsmilitair geweest.
Ross en Dan wisselden een blik. Wat betekende die? Phil
werd nerveus. Het was een risico om de leiding te nemen.

Vroeger hield hij van risico's, maar de laatste tijd was hij bedachtzamer geworden.

Bewoog de boot wel? Phil kon het niet zeggen, zonder oriëntatiepunt. Hij roeide harder.

'Weten jullie nog dat ik de beste van het team was, toen we op school zaten?' zei Phil, in de hoop dat ze meer vertrouwen in hem zouden krijgen. Zijn schouders beefden en zijn handen waren nat van paniek.

'Bij hardlopen,' zei Ross.

'En verspringen,' zei Dan spottend. Phil was lang en mager, kon abnormaal grote passen zetten, maar hij was niet erg sterk.

Ross en Dan lachten. Het was de eerste, échte lach die Phil had gehoord sinds ze zich hadden ontspannen op het jacht. De enige geluiden sindsdien waren het geklots van golven tegen de rubber reddingsboot geweest en af en toe een vogel die krijsend voorbijvloog. Ze praatten zachtjes, alsof hun normale stemmen te hard waren op zo'n kleine oppervlakte. 'Kun je me alsjeblieft een stukje gedroogd rundvlees aangeven?' fluisterden ze. Het antwoord, niet noodzakelijkerwijs onvriendelijk bedoeld: 'Nee. Je hebt vandaag al een stuk gehad.'

De lach van Ross en Dan klonk als iets nieuws, dus lachte Phil mee. Het voelde goed om te lachen.

'*Dan the man,*' zei hij vol affectie. Hij pakte Dans schouder beet. Het voelde heel normaal; zelfs het verstijven van Dan bij zijn aanraking.

Ross en Dan zonken uitgeput weg in slaap, terwijl Phil probeerde zijn vrienden naar de oever te roeien.

In de nacht begon het te regenen; slaapdronken schepten de mannen water rond hun voeten weg, tot de regen overging in gemiezer en ze weer wegzonken in een rusteloze slaap.

Toen de ochtend aanbrak, had Phil nog maar één roeispaan.

Was hij in slaap gevallen? vroegen de mannen aan hem. Ja, ja, dat was gebeurd, antwoordde hij. Had hij de peddels niet aan zijn polsen vastgebonden, zodat hij ze niet kwijt kon raken als hij in slaap viel? Zoals ze hadden afgesproken? Nee, antwoordde hij beheerst, nee, dat had hij niet gedaan.

Phil schraapte zijn keel. 'Het is geen probleem,' zei hij. Phil zou met één roeispaan naar de stroming roeien, die als een lint door het water trok. De stroming zou hen dichter bij de oever brengen. Het grijs van het meer en de lucht smolten samen tot een volmaakt egale stolp. Als iemand hun zou vertellen dat ze ondersteboven hingen, dacht Phil, dan zou hem dat niet verbazen. Toen beten Dan en Ross op hun lippen en wisselden nog meer blikken. Ze hebben vertrouwen in me, besloot Phil.

De boot voer in rondjes. En toen het weer omsloeg en er een blauwe lucht verscheen, ontdekten de mannen dat het land, dat Ross zwoer gezien te hebben – en Dan en Phil geloofden hem – was verdwenen; het wateroppervlak strekte zich in alle richtingen uit, scherp en eindeloos. Als iemand al iets had gezien, waren dat wolken geweest, vlak boven het water, net als een echte oever, dacht Phil.

Ross bepotelde zijn gezicht en zei snikkend: 'Mijn meisjes,' omwille van zijn vrouw Bren en zijn drie dochters, die vast en zeker de politie al hadden gebeld, die ongetwijfeld zoekteams op pad had gestuurd, zoekboten, zoekvliegtuigen. En dat maakte het nog frustrerender dat de mannen nog steeds vermist waren, drijvend, alleen. Phil keek naar

Ross' verbrande, kale hoofd, gaf hem zijn eigen hoed en zei zacht: 'Hé, chef, je krijgt blaren.'

Elke ochtend wisselden ze van plaats, twee op de plastic bank en een op de bodem van de rubberboot. De twee op de bank zaten strak tegen elkaar, roken elkaar de hele dag en wipten van de ene bil op de andere om zweren te voorkomen. Degene die op de bodem zat, kon zijn benen strekken en tegen de rand leunen. Het was een geliefd plekje om te slapen. In het begin hoopte Phil dat de mannen zouden aanbieden dat hij die plek permanent mocht bezetten; hij was de langste, waardoor hij het moeilijker had om zich op te vouwen op de plastic bank. En het was zijn boot. Maar de andere mannen besloten dat ze de plek wilden delen. Dat was eerlijker. Als tegenprestatie moest de man op de bodem van de boot de kramp uit de voeten en kuiten van de andere twee masseren.

Phil lag uitgestrekt op de bodem, boog zijn knieën, strekte zijn benen. Zwijgend kneedde hij het bloed weer in Ross' opgezwollen benen, terwijl Ross kreunde van de prettige pijn. Dan draaide een puntje aan zijn snor, keek in de verte en wachtte geduldig op zijn beurt. Hoewel ze niet op een oceaan dobberden, rook alles zout. Dat moet van ons komen, dacht Phil, en hij likte aan zijn schouder. Die smaakte als een warme olijf. Kostbaar spuug vulde zijn mond.

Het negen meter lange plezierjacht was allang verdwenen. Na die eerste dag roeien konden ze het nog steeds zien toen de nacht inviel, deinend aan de horizon als een dobber. Maar in de ochtend verlichtte de zon vlak, leeg water, zonder ook maar een spoor van het jacht. Dat was voor Phil een moeilijke ochtend geweest. De mannen vroegen hem met

het gps te bepalen waar ze waren. En toen moest Phil toegeven dat het gps-apparaat nog op de boot was die ze hadden
achtergelaten; hij was vergeten het mee te nemen, zei hij.

In werkelijkheid hád Phil eraan gedacht, maar kon hij het
apparaat niet loskrijgen van het controlepaneel. Bovendien
had hij nooit geleerd om het te bedienen. Hij gebruikte de
boot alleen voor deze ene week in het jaar. De boot lag in de
jachthaven en verweerde, terwijl hij aan de Westkust woonde. Hij wist niet eens zeker waarom hij zo met Patricia had
gevochten om de boot. Misschien omdat zij hem had gewild,
wat belachelijk was, omdat ze zo tegen hem had gezeurd toen
hij de boot had gekocht. 'Zoek een baan die je leuk vindt,'
had ze geschreeuwd. 'Dan hoef je je inhoudsloze leven niet te
vullen met nutteloze onzin zoals die stomme boot.' Hij had
gehuild toen hij de boot zag staan op de lijst van bezittingen
die ze opeiste. Ze had het huis, de mooiere auto, de hond –
die ze aan een oude vriend gaf. Die vriend had Phil opgebeld
en aangeboden de hond terug te geven. Hij zei dat het raar
voelde om Phils hond te hebben. Maar Phil wist niet hoe hij
de hond bij zich moest krijgen. Hij was naar de Oostkust vertrokken en de hond zat in het westen. Hij wilde er niet heen
vliegen om de hond te halen en in dezelfde stad als Patricia te
moeten zijn – er was die kwestie van het gebiedsverbod. Maar
hij wist niet hoe hij een hond moest laten versturen. Moest
hij een luchtvaartmaatschappij bellen om zoiets te regelen?
ups? De gedachte om belletjes te moeten plegen overweldig-
de hem. Dus bleef de hond bij de vriend.

'Hij slaapt,' brabbelde Dan en hij duwde Phils handen op
zijn eigen benen. 'Nu is het mijn beurt.'

De drie mannen waren in dezelfde buurt geboren en opgegroeid; hun moeders pasten om de beurt op hen, brachten

ze van het ene naar het andere huis zonder ooit een drukke straat over te hoeven steken. Toch waren Dan en Ross altijd betere vrienden geweest; ze woonden pal naast elkaar, terwijl Phil verderop in de straat had gewoond. Ze stuurden elkaar met zaklantaarns berichten in morse vanuit hun slaapkamer- ramen, terwijl ze eigenlijk moesten slapen. Phil woonde te ver weg om mee te doen. Ross en Dan gingen naar de plaat- selijke universiteit, Phil ging in het leger. Maar ze bleven wel vrienden, daar zorgde Phil wel voor. Dan werkte in de stad, als scenarioschrijver voor de televisie, had de ene na de andere vriendin en was de ceremoniemeester geweest op hun trouwplechtigheden. Ross woonde nog in hun geboor- teplaats, had een gezin, speelde golf op de gemeentelijke golfbaan. Phil kwijnde weg op een basis in het westen, kwam daar Patricia tegen, trouwde met haar en bleef er, zodat hij bij haar kon zijn. Wat een vergissing. Daardoor was hij van zijn vrienden vervreemd. Hij had moeten proberen weer naar huis te komen. Dans ouders woonden nog steeds in hun geboorteplaats, en Phil wist dat Dan hen vaak bezocht. Ross en Dan hadden elkaar dan ook vast opgezocht, maar daar- over praatten ze nooit.

Op een keer, toen ze net een paar dagen in de reddings- boot zaten, was Phil in het water gesprongen om af te koe- len, nadat Dan en Ross hem hadden verzekerd dat ze hem weer aan boord zouden hijsen. Een paar meter van de red- dingsboot verwijderd, draaide hij zich om en keek naar hen. Hij zag hoe de mannen zich behaaglijk uitstrekten, hoe Ross zijn handen achter zijn hoofd vouwde en zuchtte, en hoe ook Dan dat deed. De mannen glimlachten en lachten ergens om. Het leek bijna alsof ze zich vermaakten. Phil verliet de boot daarna niet meer.

Dagen gingen voorbij. De mannen hadden al minstens twee dagen niet meer met elkaar gesproken. Of was het langer? Hoeveel dagen moeten we nog? vroeg Phil zich af. Toen de volgende nacht viel, begon het in zijn hoofd te malen. Hij haatte het om alleen met zijn gedachten te zijn.

'Heren,' zei hij, 'laten we een spel spelen.'

'Zoals ons denkbeeldige kaartspel?' vroeg Dan spottend.

'Tuurlijk,' zei Phil enthousiast. 'Dat kan leuk worden.'

'Ik maakte een grapje,' zei Dan.

'Oké.' Phil probeerde het nog eens. 'Laten we dan wedden wanneer we gered zullen worden.'

Ross fronste dreigend. 'Je bent een macabere klootzak.'

Phil grinnikte gemaakt. 'Je hebt gelijk. Wat stom van me. Dat ís geen spelletje.' Hij wreef over zijn kin. 'En meisjes dan? Daarover hebben we het al een tijdje niet meer gehad. Da's toch niet verkeerd?'

De anderen haalden hun schouders op.

'Ross, begin jij dan maar,' moedigde Phil hem aan.

'Goed.'

Phil sloot zijn ogen. Net toen hij stijf begon te worden, stopte Ross met praten en gaapte hij nadrukkelijk.

'Dit is saai,' zei hij. 'Trouwens, ik ben ook moe.' Zijn blaren waren natte zweren geworden en hij kromp ineen, telkens als de wind over zijn lekkende, kale schedel streek. Zijn energie leek eruit te vloeien.

'Je bent altijd moe,' zei Phil. 'Vertel nou verder.' Zelfs met zijn ogen gesloten wist Phil dat er blikken werden gewisseld – de boot bewoog lichtjes als de mannen hun hoofden draaiden.

In de verte landde een troep ganzen, snaterend en spetterend. Ross bleef zwijgen.

'Misschien moet je beginnen bij het einde van je studietijd,' zei Phil. Hij wilde iets over Bren horen. Prachtige, blonde Bren.

Ross sleepte zich door het verhaal over de lenige rolschaatsster en haar geblondeerde schaamhaar, zijn stem vlak en ongeïnteresseerd.

Phil wachtte.

'En toen kwam ik Bren tegen,' zei Ross en hij schoot vol bij haar naam, klonk bijna kwaad, waardoor het voor Phil op een rare manier een nieuw verhaal leek. Alsof ze elkaar opnieuw ontmoetten. Een nieuwe, eerste keer. Dat is beslist niet saai, dacht Phil, terwijl zijn lichaam warmer werd.

Daar was ie al.

Ross snotterde achter een gebalde vuist, niet in staat verder te vertellen. Maar het was genoeg. Voorzichtig stopte Phil zijn hand in zijn broek, streek langs de rauwe, geschaafde huid rond zijn middel en probeerde de beelden en een lichte aanraking het werk te laten doen, zodat de boot niet zou trillen. Mooie Bren met alleen een katoenen slipje aan, giechelend achter haar hand. Hij wilde alleen zichzelf een beetje troosten, niet klaarkomen, maar hij had een enorme stijve. Binnen in hem stond alles in de startblokken.

'We weten waar je mee bezig bent, Phil,' zei Dan vol walging.

'Hou je bek,' siste Phil. Door de afleiding kwam er slechts een zielig stroompje naar buiten. Dat was alles. Geen grote ontlading. Tranen van frustratie welden op in zijn ogen. 'Ik haat je,' mompelde hij. Het klonk als een schreeuw.

Phil verschool zich achter zijn gesloten ogen. Toen hij ze weer opende, zag hij dat Dan sliep, zijn hoofd schommelde heen en weer op de golfslag. Maar Ross zat rechtop, met zijn armen over elkaar geslagen, en hij leek Phil strak aan te staren. In de schaduw van het streepje maanlicht kon Phil niet zien of Ross' ogen dicht waren, of dat hij hem beschuldigend aankeek. Hij hield zijn adem in. Al snel hoorde hij Ross snurken.

Zelfs al had Phil de plek op de bodem, hij kon niet slapen. Het gemaal in zijn hoofd ging door. Terwijl de nacht verstreek, keek hij hoe de sterren vervaagden en griezelige groene aurora's verschenen, die als verf over de horizon dropen. Naarmate zijn ogen aan het duister wenden, bleek de nacht niet zo inktzwart als voorheen. Hij schemerde door zijn oogleden als het licht van een straatlantaarn.

Hij plukte aan zijn korte broek, die vies en hard was. Hij liet vragen passeren, om zichzelf in slaap te krijgen. Waarom waren ze nog niet gered? Waar waren de andere boten? Was dit het einde van de wereld? Wat vond Ross werkelijk van hem? Wie vond Dan het leukst? Elke vraag die hij stelde, leverde een onbevredigend antwoord op, waardoor hij nog minder slaperig werd. Om zich beter te voelen, at hij de laatste pinda's op. Toen boog hij zich in de richting van Dan, voelde de naar verrotting stinkende slaapadem in zijn gezicht en trok vakkundig de laatste reep gedroogd rundvlees uit zijn borstzak.

Phil werd wakker met de wind in zijn haar en Ross en Dan die brulden: 'Een, twee, een, twee!' Ze probeerden gelijktijdig met slappe handjes door het water te roeien, maar het ging nergens heen. Ze draaiden rond in grote cirkels.

Ross en Dan spuugden woorden en stoffig slijm naar Phil. Ze waren gedesoriënteerd wakker geworden, waanzinnig, elk besef van tijd kwijt.

'Het gedroogde rundvlees is weg!' blafte Ross.

'En de pinda's!' schreeuwde Dan. Hij haalde adem en schreeuwde opnieuw.

Ook de enig overgebleven roeispaan was weg.

'Hoe dan?' vroeg Phil.

Ross en Dan hielden plotseling op met peddelen.

'Iemand moet het hebben gepakt,' zei Dan en hij krabde aan zijn handen, wreef viezigheid en stukjes huid los. Hij keek om alsof iemand hem op zijn schouder had getikt.

'Wie kan dat gedaan hebben?' vroeg Phil. Hij deed zijn best onschuldig te lijken.

Ross keek hem achterdochtig aan.

Er was geen goed antwoord op die vraag te geven, dus viel er een ongemakkelijke stilte.

Phil voelde zich misselijk, alsof hij in een achtbaan zat; het laatste stuk, waar de hellingen elkaar te snel opvolgen.

We hebben geen geluk, dacht hij. Net als mensen die altijd de bus missen, ook al hebben ze de dienstregeling bij de hand. Misschien is geluk wel cyclisch. Misschien verplaatst het zich wel voortdurend, mensen zegenend om ze vervolgens weer te verlaten. Mensen die vroeg in hun leven geluk of grote voorspoed ten deel viel – ze schieten van de weg af, komen in een sneeuwhoop terecht, vriezen langzaam dood, terwijl ze dagenlang auto's horen passeren maar niet worden ontdekt. Of ze worden vermalen door de schroef van een boot, als ze wat snorkelen tijdens een luie vakantie. Of ze gaan dood als ze hun eerste kind baren. Phil probeerde te achterhalen wanneer het geluk voor het laatst bij hem was langs geweest, als dat ooit al was gebeurd. Kon hij wat geluk verwachten, of had hij zijn deel al lang geleden verkwanseld?

Phil tuurde schaapachtig naar Ross, zijn ogen geloken. 'Ik ben met je vrouw naar bed geweest.'

'Dat weet ik.' Ross dompelde zijn hoofd in het meer.

Dan klapte vrolijk in zijn handen en het geluid daarvan was het enige andere geluid die ochtend. 'Als ik scenarioschrijver was, zou ik dit allemaal opschrijven, want dit is goud waard.'

'Dan, je bént scenarioschrijver,' zei Phil. Hij lachte, maar het meer dempte het geluid, waardoor het somber klonk.

Dan fronste. 'Dat bedoelde ik ook. Ik bedoel: als ik een pen had.' Hij pulkte aan een zonneblaar op zijn dij, totdat er pus uit kwam. Hij doopte zijn vinger erin en likte hem af.

'Bén je met mijn vrouw naar bed geweest?' vroeg Ross, terwijl hij zijn been strekte. Hij schampte Phils schouder met zijn voet. Met opzet, dacht Phil.

Ross dompelde zijn handen in het meer en begon zijn onderarmen grondig te schrobben. Hij rook eraan, gefascineerd.

'Maakt 't wat uit?' vroeg Phil. Hij hoopte dat het als grapje werd opgevat en ergerde zich dat dit niet het geval was.

'Ja. Ja, ik denk dat het eigenlijk wél uitmaakt, nu je erover begint.' Ross spetterde Phils gezicht nat met zijn handen. 'Nu we hier zo zitten, denk ik dat het uitmaakt.'

'Nou, in dat geval, nee, ik heb het niet gedaan.'

'Waarom zei je het dan?'

'Omdat ik het wílde. Ik heb altijd met je vrouw naar bed gewild. Ze was lekker.'

Dan knikte. 'Ze ís lekker.'

Ross haalde zijn schouders op en draaide de grote wijzer van zijn horloge in het rond.

Phil krabde op zijn hoofd. 'Waarom zei je dat je het wist,

toen ik zei dat ik met haar naar bed was geweest, terwijl dat nooit is gebeurd?' Hij begon te vermoeden dat Bren iets tegen Ross had gezegd. Het was jaren geleden geweest, ze waren allebei erg dronken geweest en ze had hem alleen maar afgezogen.

'Omdat ik dacht dat je het wel had gedaan. Ik heb altijd gedacht dat je het had gedaan.'

'Hoe kun je dat nou denken? Hoe kun je denken dat ik je zoiets zou flikken?'

'Omdat ik je zus heb geneukt. Weet je nog?'

'Waarom begin je daar nu over? Als we weer thuis zijn, gá ik verdomme met Bren naar bed. Dat verdien je.' Phil staarde over het water. De manier waarop het bewoog, geheel uit eigen beweging, zorgde ervoor dat hij zich een beetje nat voelde, alsof hij deel werd van het meer, erdoor werd geabsorbeerd.

Ross grinnikte. 'Geen schijn van kans,' zei hij, zonder de moeite te nemen Phil aan te kijken. En dat deed zeer. Bedoelde hij dat ze geen kans hadden om weer thuis te komen, vroeg Phil zich af, of dat hij geen kans maakte bij Bren? Hoe wist Ross dat zo zeker? Hád Bren iets gezegd? Phil kronkelde op de bodem van de boot, in een poging zijn ontluikende erectie de kop in te drukken. Hij hunkerde ernaar om met Bren naar bed te gaan.

'Als ik dit zou gebruiken voor een sitcom op televisie,' mijmerde Dan, 'of misschien zelfs een film, dan zou ik dit schrijven als een vechtscène. Elke keer als jullie iets zeggen, laat ik jullie met elkaar worstelen, zodat de boot bijna omslaat, en dat zorgt voor veel spanning bij het publiek, dat denkt dat de boot om zál slaan, maar dan kom ik, nou ja, de acteur die mij speelt, tussenbeide en dan zegt ie iets als ...' Dan legde zijn vinger op zijn lippen, dacht na en brulde: '"Hé jongens, iets van bla bla bla," en dan starten we de lachband,' – hij wees naar de grijze, deinende horizon – 'en dat zou jullie kalmeren, want weet je, metaforen en zo. En dan hoor je wat actiemuziek en bedenken we een manier om uit deze shitzooi te komen.'

Phil keek naar Ross. Hij wiebelde met zijn wenkbrauwen, alsof hij wilde zeggen: is hij bezig gek te worden? Maar Ross wilde hem niet aankijken.

Ross bekeek Dan daarentegen met interesse. 'Wat ís de manier om uit deze shitzooi te komen?'

Dan krabde aan de rubber naden onder zich. 'Ik ben blij dat je dat eindelijk vraagt. Laten we een van die tankers die we telkens zien om hulp vragen.'

'We hebben helemaal geen tankers gezien,' zei Phil.

De schok stond op Dans gezicht te lezen, maar toen verscheen er een flauwe glimlach.

Ross keek Phil boos aan.

'Oké dan,' zei Ross geruststellend tegen Dan, 'we zijn drie mannen in een boot op een groot meer waarover drukke vaarroutes lopen. Waarom zijn er geen boten voorbijgekomen om ons te redden? Ik wil dat je voor mij een wereld schrijft waarin dat wel gebeurt. Ik wil mijn eigen televisiefilm, verdomme.'

Dus vertelde Dan hoe er een paar dagen geleden een staatsgreep was gepleegd in Canada. Rebellen blokkeerden uit protest alle havens en waterwegen en hielden de minister-president gegijzeld. Gewapende mannen waren 's nachts zijn kamer binnengevallen, waar hij zat te genieten van een sigaar en een cognac, hoewel het betreffende boetiekhotel strenge regels had ten aanzien van roken, wat duidelijk werd gemaakt door een langzaam *panshot* van het bordje VERBO-

DEN TE ROKEN naar de minister-president die genotzuch-
tig een dikke rookwolk uitblies, net voordat de gewapende
mannen binnenstormden, een zak over zijn hoofd trokken
en hem door de gang naar de personeelslift sleepten. De ho-
telgasten gilden en doken ineen langs de muren toen ze de
geweren zagen, want Canadezen zijn vredelievende doetjes.
De gewapende mannen brachten de minister-president naar
de kelder, die in werkelijkheid een kerker uit koloniale tijden was. Ze bonden hem vast op een stoel en dreigden zijn
dochters te verkrachten als hij niet meewerkte. Het is een
tweeling. 'Dubbel lekker dus,' zei een van de meer laag-
hartige mannen, terwijl hij een puntje aan zijn snor draaide. De minister-president bezweek onder de druk, toen hij
zich voorstelde hoe zijn mooie brunettes met geweld werden verkracht, iets wat vertraagd, zacht uitgelicht en in soft
focus wordt getoond, zodat het er stijlvol en – natuurlijk –
feministisch uitziet. Als kijkers zijn we diep geschokt en dus
begrijpen we allemaal – we hebben er zelfs sympathie voor
– dat de minister-president het land overdraagt aan deze gewapende mannen.

Dan viel even stil, legde weer zijn vinger tegen zijn lippen en keek opnieuw over zijn schouder, alsof iets of iemand
in zijn fantasie naderbij sloop. Hij ging fluisterend verder.
'Oké, luister, het leger grijpt in, zet de minister-president af
en ontneemt hem de autoriteit om het land aan de gewapende mannen over te dragen, en gaat door met de strijd tegen
de rebellen en belegert hun territorium. Dus zijn er nu geen
boten, want in de waterweg die naar de oceaan voert, waarheen wij op weg zijn, vindt op dit moment een fantastisch
gevecht plaats. Stel je voor: torpedo's onder water! Kanon-
nen! Ze worden vanaf de steile oevers afgevuurd door de

vechtlustige, maar knappe soldaten van de geïmproviseer-
de stadslegers. De doodnormale armeluitjes die geloven dat
willen kunnen is. Op de een of andere manier wordt er een
school beloega's vrijgelaten, door de overheid getraind, die
met explosieven – op helmen, die ze op hun kop krijgen ge-
bonden, oké? – onder vijandelijke boten zwemmen en zichzelf én de boten opblazen. Totale kamikazeshit, eremedailles
voor walvissen.' Dan stompte met zijn vuist in de lucht. 'Het
is oorlog. Boem! Primetime.'

'Da's een hele film,' zei Ross bewonderend. 'Hoe wil je
hem noemen?'

Dan knipte met zijn vingers. *Mens versus natuur.*'

Phil lachte. De twee anderen keken hem aan. Hij had gedacht dat het een grap was. 'Waarom?' vroeg hij.

'Alles is de mens tegen dit of de mens tegen dat. Het is zó
simpel,' zei Dan, die zijn stem verhief. 'Het is de mens tegen
alles. Ik. Jij. Wij. Het zit in ons. Het zit in...'

'Oké, oké, maar het is een oorlogsverhaal,' viel Phil hem
in de rede. 'Dus zou het *Mens versus mens* moeten heten.'

'Ik ben de schrijver. Ik mag het noemen zoals ik wil. En
het wordt *Mens versus natuur.*' Dan sloeg tevreden zijn armen over elkaar. Hij had zijn punt gemaakt.

'Nou, ik noem het *Mens versus mens*. Wat ga je daartegen
doen?' zei Phil. Hij bedoelde het joviaal, maar de jovialiteit
leek verdwenen, tenminste waar het hem betrof.

'Ik zou naar *Mens versus natuur* kijken,' zei Ross tegen
Dan. De bedoeling daarvan ontging Phil niet.

'O, ik zou ook zeker kijken,' viel Phil hem bij, zodat hij
niet buiten de groep zou vallen. Hij krabbelde aan een plekje
op zijn enkel, dat hij al rauw had gekrabd. Hij rook verrotting onder zijn vingernagels.

Dan sloeg met zijn vuist op het hete rubber van de boot-rand. 'God, ik wou dat ik een pen had. En papier.' Toen trok er een gelukzalige blik over zijn gezicht. 'Als we gered zijn, ga ik die film verkopen en maak ik een ster van je.'

'Van mij?' vroeg Phil.

'Nee, niet van jou.'

Ross lachte zelfgenoegzaam. 'Jij bent de ster van *Mens versus mens*, weet je nog?'

Een vlucht ganzen vloog langs hun boot, hun stront spetterde op het water als bommetjes.

Een rauw verdriet dat Phil in films had gezien, maar hoogstzelden zelf had gevoeld, welde op in hem. Hij liet zich er niet overhaast door meevoeren. Hij zei: 'Cool,' meegaand als altijd.

Phil dompelde zijn bierblikje in het meer en zwaaide het heen en weer, zodat het water aan de oppervlakte, opgewarmd door de zon, plaatsmaakte voor het ijskoude water eronder. Hij liet het blikje vollopen en dronk het in één lange teug leeg. 'Waarom zou ik met jouw vrouw naar bed willen? Ik had zelf een vrouw.'

Dan en Ross grinnikten en wisselden een blik vol ongeloof uit.

'Omdat jouw wijf waardeloos was en mijn vrouw geweldig,' legde Ross uit.

'Patricia was niet waardeloos.'

'Uhm, jawel, dat was ze wel. Ze was waardeloos. En je haatte haar.'

'Nee, dat deed ik niet. Ze haatte míj. Maar ik hield van haar. Hield echt van haar. En dat is de waarheid.' Hij wist niet of het waar was. Om eerlijk te zijn: hij had waarschijnlijk niet specifiek van haar gehouden, maar van het feit dat ze een vrouw was, zich als een vrouw gedroeg en op een bepaald moment, in het begin, van hem leek te houden. Of had gedaan alsof. Maar dat maakte nu niets meer uit. Nu haatte hij haar.

Phil goot een blikje water over zijn hoofd. Hij vulde het opnieuw en gooide het weer leeg op zijn hoofd, en opnieuw, totdat Dan begon te klagen over water in de boot. Phil krabbelde moeizaam op zijn knieën, trok zijn penis tevoorschijn en probeerde over de rand te mikken, zoals ze altijd deden, maar zijn straal was te zwak en de urine vormde een plas in de reddingsboot. In plaats van te schreeuwen, wisselden Ross en Dan een blik, en alweer had Phil geen idee wat die betekende.

Dan haalde een reepje gedroogd rundvlees tevoorschijn uit een geheime voorraad in zijn korte broek. Hij gaf het aan Ross, die het als bewijsmateriaal omhoog021held. Het rundvlees verwelkte in de hitte. Het rook als echt vlees, dat gebraden wordt op een grill, dacht Phil. Kwijl sijpelde langs zijn kin.

'Dít is het laatste stukje vlees,' zei Ross veelbetekenend tegen Phil en hij stopte het hele reepje in zijn mond.

Dan werd wakker, schreeuwde 'Brand!' en sprong op van de doorgezakte plastic bank. Zijn korte broek was nat en er hing een sterke geur van ingewanden om hem heen. Ross rukte Dans broek naar beneden en onthulde een etterend stuk vlees vol gaten, dat zijn hele bil bestreek. Phil moest kotsen van de stank. Ross doopte zijn T-shirt in het meer en duwde het zachtjes tegen Dans kont om de wond schoon te maken. Dan stond naakt in de boot, als een peuter in een zonnige achtertuin. Er speelde een glimlachje om zijn lippen, terwijl hij het meer bekeek, dat zich in alle richtingen uitstrekte. Hij wendde zich tot Phil, die zijn mond uitspoelde. De boot schudde, huiverde.

'Ziet het eruit alsof het pijn doet?' vroeg hij.

'Het ziet eruit alsof het je einde wordt,' zei Phil.

Dan giechelde. 'Het doet helemaal geen pijn.' Hij herhaalde dit, fluisterend, elk woord nadrukkelijk uitgesproken, tot de mannen hem hielpen op zijn zij te gaan liggen op de bodem van de boot. Ze zouden niet langer van plaats kunnen wisselen. Phil en Ross gingen naast elkaar zitten, in elk geval voor de nabije toekomst.

Phil sliep slecht, vechtend tegen de geërgerde elleboogstoten van Ross. Phil wilde dat zijn slaap een uitvlucht bood. Hij wilde dromen over een meisje, over Bren. Maar wat als hij haar naam riep en Ross het zou horen? Dan maar dromen over een vakantie, een blokhut in besneeuwde bossen. Een open haard. Wat biertjes. Of misschien kon hij dromen dat hij vloog. Weg. Weg van hier. Uiteindelijk droomde hij over vogels, die hun klauwen in zijn armen staken en witte wormen uit de blaar in zijn nek pikten.

'Wakker worden,' siste Dan terwijl hij tegen hun voeten en dijen mepte. Hij was weer uitzinnig. 'Pak je spullen. We moeten ervandoor!'

Ross wreef in zijn ogen. 'Waarheen? Waar moeten we heen?'

Phil probeerde zich te oriënteren. Hij keek om zich heen. Hij voelde aan zijn nek.

'Naar beneden!' gilde Dan. Hij wees naar het water. 'Luister, ik ben meer aan de weet gekomen over die oorlog die is uitgebroken, je weet wel, waarover ik jullie heb verteld.' Ze knikten verbijsterd. 'Nou, het wordt steeds heftiger. Gewone burgers hebben de wapens opgenomen om de rebellen te verdrijven en om ons heen speelt zich een totale revolutie af. Je kunt het horen, als je echt goed je best doet.' Dan kneep geconcentreerd zijn ogen dicht. Phil hoorde water druppelen en zag dat Dan in zijn broek piste.

'Het is een humanitaire nachtmerrie. De Derde Wereldoorlog. De enige veilige plaats is onder het wateroppervlak. Ik bedoel, denk er maar eens over na.' Zijn ogen puilden uit. 'Het heeft ook wel iets moois. Deze wereld, die aan 't instorten is. Maar de wereld onder deze wereld – die bloeit. De mens tegen de natuur. Begrijp je?'

Dan legde zijn kin op de rand van de boot en tuurde in het water. Verwonderd zei hij: 'In feite bevinden we ons in de perfecte positie. Nu we hier vastzitten, zijn we inwoners van geen enkele wereld. En dus zijn we helemaal welkom daarbeneden.' Dan staarde vol bewondering naar Phil. 'Ik denk niet dat ik het had aangedurfd. Maar jij hebt lef. Jij wist dat er iets aan de gang was. Jij hebt ons hier gehouden. Je bent geniaal, man. Ik ben zo dom, ik dacht dat we hier dood zouden gaan. En snel ook.' Dan lachte hard. 'En nu blijkt dat we in leven blijven.' Even speelde hij luchtgitaar.

Phil knipperde met zijn ogen. Meende hij het nou? 'Ik heb ons niet hier gehouden. Ik wist van niets,' zei hij aarzelend.

Dans borstkas ging op en neer. Hij zweette. 'Bren en de meisjes zijn al daarbeneden. Toe, Ross, zeg ze eens gedag,' zei hij en hij wuifde naar het water.

De mond van Ross hing wijd open, maar desondanks keek hij toch. 'Ik zie helemaal niets.'

Dan plukte aan zijn eigen shirt. 'Je bent een vreselijk slechte echtgenoot. Een vreselijk slechte vader. Je hebt zojuist hun harten gebroken. Dwars doormidden. Zie je het niet?' Hij roerde met zijn vinger in het water, maakte rimpelingen, die zich snel van hem verwijderden. Hij leunde voorover en bekeek het midden van de spiraal die hij had veroorzaakt van dichtbij.

Ross zei: 'Hé gast, zorg dat je niet uit de boot valt.'

Dan wendde zich tot Phil. 'Zie je het dan niet?' smeekte hij.

Phil schudde zijn hoofd.

Ross zei weer: 'Zorg dat je niet uit de boot valt. Je kunt mij niet achterlaten. Als jij weggaat, sterf ik van verveling.'

Phil kromp ineen.

Dan slaakte een echte snik. 'Maar ik ben zo moe, Ross.' Hij sprak het uit alsof het een geheim was dat Phil niet mocht horen.

Alles was stil, en Phil dacht dat het moment misschien voorbij was. En toen liet Dan snel en behendig zijn lichaam over de rand van de boot glijden. Het lukte Phil zijn voet te grijpen, maar met een paar schoppen wist Dan zijn schoen los te krijgen. Ze keken hoe Dan met zijn armen sloeg en met zijn voeten trappelde, alsof hij een kind was dat naar speeltjes dook in een zwembad, totdat het donkerste water hem verzwolg.

'Ik moet erin, hem eruit halen,' zei Ross.

'Wíj moeten hem eruit halen,' corrigeerde Phil hem.

Geen van beiden bewoog.

Een paar minuten lang kwamen er luchtbellen naar boven, toen was het meer weer kalm.

'Kut,' zei Phil, die Dans schoen omhooghield. Ross griste die uit zijn hand en smeet 'm uit alle macht weg, waardoor de boot wild schommelde. De schoen kwam als een steen in het water terecht. De rimpelingen gingen eindeloos door.

Phil dacht dat Ross de betere plek zou opeisen nu Dan weg was, maar in plaats daarvan hing hij voorover, zijn botten leken amper in staat hem overeind te houden. Phil gleed op de bodem van de boot en strekte zich uit. Uit respect voor Dan onderdrukte hij een kreun van welbehagen.

Ross zei de hele dag niets. Hij keek alleen maar over de rand, alsof hij iets belangrijks zocht en het telkens bijna ontdekte.

Toen de zon onderging, keek Ross in een ritszakje van zijn korte broek.

'Wat heb je daar?' Phil strekte zijn nek om het te zien. Misschien was het voedsel.

'Niets,' zei Ross, die een potloodstompje en een scorekaartje tevoorschijn haalde, zoals ze op golfbanen gebruiken.

'Je had de hele tijd potlood en papier bij je? En je hebt ze niet aan Dan gegeven?'

Ross wuifde het kaartje in de lucht. 'Te klein voor een hele tv-film, denk je ook niet? Trouwens, ik wist niet meer dat ik ze had. Wat voor een klootzak denk je wel niet dat ik ben? Ik zou hem dat nooit hebben geflikt.' Hij boog zich voorover en begon te krabbelen.

'Wat schrijf je?'

'Gaat je niets aan. Het is voor mijn meisjes.'

'Ga je een vogel vragen het bij hen af te leveren?'

'Mèh mèh mèh mèh mèh,' zong Ross om de spot te drijven met Phils opmerking, met zijn jankerige stem. Hij schepte wat water van buiten de boot en gooide het naar Phil. Phil nam wraak door een kommetje van zijn handen te maken en water in de schoot van Ross te gooien, waardoor het scorekaartje doordrenkt raakte.

Ross sprong op en de bodem van de boot klapte dubbel, water stroomde over de rand. Hij werd overvallen door kramp vanwege het lange zitten en hij viel voorover, met zijn gezicht vlak voor dat van Phil. Zijn zonverbrande oogbollen zagen eruit als de bodem van een opgedroogd meer. Tranen welden erin op en trokken sporen door het vuil op zijn gezicht. 'Denk je soms dat ik geloof dat je dit niet met opzet hebt gedaan?'

'Ga zitten. Waar heb je het over?'

'Ons hier laten dobberen. Je weet wel, *zonder benzine komen te zitten.*'

Phil lachte. 'Rustig maar.'

'Je was gewoon toevallig vergeten de tank te vullen? Da's gelul. Hoeveel jaar komen we hier nu al?' Ross plofte weer neer, meer water stroomde over de rand.

'Dat is bullshit. Je ziet ze vliegen.' Het was waar, Phil had de tank niet helemaal volgegooid. Dan en Ross hadden niet aangeboden mee te betalen. Dat was raar. Meestal deden ze dat, maar deze keer deden ze net alsof ze de kaart bestudeerden, toen hij de trailer met de boot achteruitreed naar de benzinepomp. Benzine was zo duur tegenwoordig. Hij had zich al ongemakkelijk gevoeld nadat hij Ross had opgehaald. Hij en Dan, dat ging prima; ze hadden gepraat over meiden aan wie Dan hem wilde koppelen nu hij weer vrijgezel was. Maar toen was Ross erbij gekomen in de auto. Phil dacht dat Bren hem wellicht eindelijk had verteld dat ze hem had afgezogen. Hij dacht altijd dat Ross zich raar gedroeg, al sinds het was gebeurd. Jarenlang had hij aangenomen dat Ross het wist. Hij wílde ook dat Ross het wist, dat hij het wist en nog steeds met Phil meeging op de boot. Omdat ze zulke goede vrienden waren dat niets hun vriendschap kon verpesten. En dan kon Phil denken dat hij ermee weg was gekomen. En dan kon het misschien weer eens gebeuren, met Bren. Het was een fantastische pijpbeurt geweest. Hij was weliswaar dronken geweest, maar hij herinnerde het zich nog steeds. Zij had gedaan alsof ze dronken was, maar dat was ze niet. Ze wilde het doen. En het feit dat Bren Ross nooit uitzwaaide als ze samen weggingen, was voor Phil bewijs genoeg. Ze koesterde serieuze gevoelens voor hem. God, Bren. Wat konden ze een lol hebben, vroeger. Als Phil met de feestdagen op bezoek was, gingen ze met z'n allen uit, Dan en Ross en Bren en hij. Ross en Dan dronken altijd te veel en waren dan naar de kloten. Maar tijdens de militaire training had Phil geleerd hoe hij nuchter kon lijken, ook al was hij dronken, dus bood hij altijd aan om Bren naar huis te brengen, om zich dan later weer bij Ross en Dan te voegen. Ze hadden nooit iets door. Bren was zo giechelig en haar mond was zo groot, met mooie witte tanden en die dunne, glibberige tong. Tijdens de eerste paar bezoekjes zoenden ze elkaar en betastte hij haar koortsachtig. En toen ze zwanger was, kon hij niet geloven hoe groot haar tieten waren geworden. En toen, die fantastische pijpbeurt. Maar daarna ging ze niet meer mee uit als hij op bezoek kwam. 'Ze wil bij de kinderen blijven,' legde Ross uit. En Phil dacht altijd een rare blik te zien op Ross' gezicht.

'We zouden niet eens meegaan dit jaar, Dan en ik,' zei Ross. 'We hebben het erover gehad. Ja, we hebben het erover gehad om ermee te stoppen, met deze stomme week. We haten het. En Bren haat het als ik wegga. Niet omdat ik weg ben, maar vanwege jou. Ze zegt dat je een engerd bent. En als ze dat zegt, kijkt ze zo.' Ross trok een lelijk gezicht. 'Dan en ik hebben onze eigen week. In juni. Dan gaan we bergbeklimmen. Het is geweldig. En we waren van plan er nog meer weken op uit te gaan. Dan had een vriendin. We zouden haar uitnodigen in de blokhut. Ze is heel leuk. Ik wil wedden dat je hier niets van wist. Ik wil wedden dat je hem nooit hebt gevraagd hoe het ermee ging. Zoals: "Hé Dan, hoe gaat het nou met jóú?"' Ross zag eruit alsof hij op het punt stond Phil in zijn gezicht te spugen of hem een kopstoot te geven, maar in plaats daarvan zakte alles in zijn gelaat naar beneden, vol medelijden. 'Maar toen ging jij scheiden en mijn god, wat was je naar de kloten. We hadden met je te doen, want we zijn aardige mensen. Dus zijn we toch meegegaan, en kijk eens wat ervan gekomen is. Dan is bij de meerminnen ingetrokken, de Derde Wereldoorlog is uitgebroken en we komen nooit meer weg uit deze klote-, kloterubberboot.' Hij liet zijn hoofd hangen. 'Mijn meisjes.' Hij huilde.

Phil zakte onderuit tegen de hete, piepende rand van de boot. Hij kon het amper geloven. Zij hadden met hém te doen? Hadden ze hem daarom geen benzinegeld gegeven? Omdat ze in werkelijkheid niet mee hadden gewild? En had Bren gezegd dat hij een engerd was? Dat geloofde hij absoluut niet. Gingen ze werkelijk bergbeklimmen? Hadden ze echt hun eigen week?

Toen ze nog jongens waren en Phil had gevraagd of hij mocht blijven logeren, zeiden Ross en Dan altijd dat het niet mocht van hun moeders. Hij had geen reden gezien eraan te twijfelen of dat echt zo was. Phil had alles gedaan om te zorgen dat ze vrienden bleven. Hij had ze snoep, geld en stripboeken gegeven. Toen ze wat ouder waren, liet hij ze de sterkedrank van zijn ouders opdrinken en nam zelf de schuld op zich. Hij had zijn zus Maggie omgekocht om met Ross naar bed te gaan, die nog altijd maagd was toen hij ging studeren. Hij had niet geweten dat ook zij nog maagd was, maar dat had Ross hem verteld. Ross zei dat Maggie een jankerd was. En toen ging Ross studeren en ontmoette hij Bren. En Phil ging in het leger, raakte gokverslaafd, had een trits relaties die op de klippen liepen, smachtte naar Bren, nam uiteindelijk genoegen met Patricia, hield op met gokken en dacht dat zijn leven een andere wending zou nemen. Dat gebeurde ook. Tot een jaar geleden had hij dat geloofd. En zelfs als Ross en Dan niet mee hadden gewild, dan waren ze uiteindelijk toch meegegaan. Dat betekende toch wel iets, of niet soms?

'Het spijt me, chef. Alsjeblieft, ik zal alles voor je doen,' zei Phil. Hij kreeg er kippenvel van, zo vertrouwd was het gevoel iets te willen waarvan hij wist dat hij het niet zou krijgen.

De ogen van Ross waren opgezwollen en rood, maar ze stonden hard. Zijn mond verstijfde en hij zei meesmuilend: 'Als je echt mijn vriend wilt zijn, dan praat je nooit meer tegen me.' Hij wendde zijn hoofd af en boog zich voorover om te slapen.

's Ochtends was Ross verdwenen. Het scorekaartje, gekruld door de nattigheid, was in Phils samengeknepen hand geduwd. *Ben gered! Je lag zo vredig te slapen dat ik besloot je niet wakker te maken!* stond erop geschreven.

Overal rondom Phil was hetzelfde grijze, stille water dat de boot al dagenlang omringde. Weken? Maanden? Achter de optrekkende ochtendmist was geen land te bekennen. Nergens waren kleine golfjes van het kielzog van een passerend schip te zien. Was Ross werkelijk gered?

Phil kreunde een eenzaam gekreun: laag en jankend, een

heel ander register voor hem. Hoeveel aanwijzingen had hij nog nodig? Ronddrijvend op een meer, dagenlang, zonder een ziel in zicht? Geen enkel spoor van een zoektocht? Vrienden die gered werden en hem achterlieten, of liever verdronken dan bij hem in de boot te blijven? Hij zou zelf ook liever verdrinken dan met zichzelf in de boot te blijven. Het leven was voorbij. Hij was het leven moe. Het leven was klote. Ik wil leven, dacht hij. Echt leven. De wereld loslaten. Was er geen manier om bij de oceaan te komen? Alles is altijd met de oceaan verbonden, op de een of andere manier. Ja, hij kon door die waterweg waarover Dan had verteld naar de Poolzee dobberen, waar geen enkele advocaat hem kon vinden. Hij kon een manier bedenken om vis te vangen, langs de ijsbergen te drijven en te douchen in het spuitwater van walvissen. Dat was nog eens leven! Heel iets anders dan dit. Veertig en gescheiden. Geen kinderen. Dat had hij als een veeg teken moeten zien. Ze wilde geen kinderen. Welke vrouw wil er nu geen kinderen? Hij had gewacht tot ze zou zeggen dat ze wel kinderen wilde. Het is altijd de vent die geen kinderen wil; de vrouw moet zeggen: 'Hé eikel, we gaan gewoon kinderen krijgen, oké?' Net zo lang totdat de vent voor de druk bezwijkt en wrokkig akkoord gaat. Maar als ze eenmaal naar buiten ploppen wordt hij geacht te beseffen dat zijn kinderen zijn leven zin geven, en dan wordt hij geacht nog meer van zijn vrouw te gaan houden, een betere baan te zoeken en te ontdekken dat hij een nieuw doel in zijn leven heeft, namelijk dat van beschermer van zijn gezin. Zo hoort het te gaan. Behalve dan dat zij geen kinderen wilde. Er niet eens over wilde praten.

Phil huilde. De korsten rond zijn ogen smolten tot drab. Hij huilde om alle kinderen die hij nooit had gehad. Hij had altijd kinderen gewild, al toen hij zelf nog kind was. Al vanaf het moment dat hij met zijn vader was gaan vissen op Pickerel Lake en ze samen op de oever stonden en hun vislijnen in het water wierpen. De stilte. De rust. De hitte die door hun honkbalpetjes drong. Daar komt zijn zus, die schreeuwend het pad komt afgerend en daar is zijn vader, die zegt dat ze stil moet zijn en die haar, als hij haar beschaamde gezichtje ziet, oppakt en ondersteboven boven het water heen en weer zwaait, tot ze begint te jammeren en haar dan in zijn armen houdt tot ze weer lacht. Het was allemaal zo logisch, toen. Zo doe je dat. Je krijgt er een heleboel en het worden je vrienden. Ze lijken op je. Je geeft je gevoelens door aan hen. Het is dierlijk. Het is basaal. Welk kutwijf wil nou geen kinderen? 'Zwangerschapsstrepen,' zei ze een keer en ze lachte het weg. Zijn hele leven. Weggegooid.

Phils verdriet noopte hem opgekruld op de bodem van de boot te gaan liggen. Hij verrimpelde in het warme water, dat daar opgesloten lag.

Het potloodstompje dobberde bij zijn hoofd. Hij pakte het en tekende een harkpoppetje op de andere kant van het scorekaartje, in een hoekje waar Ross iets had geschreven en weer doorgehaald. Hij kon *Ik hou van je* nog lezen, maar verder kwam hij niet.

Phil tekende een gedachtewolkje bij het harkpoppetje. *Hallo*, schreef hij binnen de meisjesachtige lijnen.

Eerst was het poppetje Patricia, maar hij blokkeerde bij de wens om precies het juiste tegen haar te zeggen, om haar pijn te doen of alles weer goed te maken. Toen werd het Ross, maar hij kon alleen excuses bedenken, maar waarvoor, dat wist hij niet. Hij miste zijn vriend. Was het harkpoppetje een kind? Hij kon het niet zien; het was onbekend. Een harkpoppetje. Het leek zelfs niet op hem. Hij staarde zwijgend naar zijn metgezel. Uiteindelijk viel het kaartje uit zijn handen en viel uit elkaar in de smerige soep waarin hij lag, embryonaal.

Hij werd net op tijd wakker om over de rand te kotsen en in het door gal verzuurde water zag hij zijn eigen weerspiegeling. Wie zal me missen? vroeg hij zich af. Niemand had hem gemist. Dat was de werkelijkheid, een feit. Het bewijs – zijn eenzaamheid. Hij staarde, leek dagen te wachten op antwoord. Hij ging weer liggen, rook het hete rubber.

De volgende ochtend die Phil weer bewust meemaakte, rook hij een nieuwe geur. Naaldbomen. De ochtendmist schoof uiteen als een toneelgordijn en onthulde rotsachtige kliffen met groene toppen, aan weerskanten van hem; het meer kwam uit in een steeds smaller wordende waterweg. Hij zag dat de stroming zich versnelde rond zijn boot, draaiend, trekkend, liefkozend.

Hij dacht aan Canada. Aan de oorlog. Aan beloega's, hun roze koppen die door het zwarte wateroppervlak braken om te ademen, en hoe de mist die ze uitbliezen alles tot waterkleuren vervaagde.

'Niet schieten!' schreeuwde hij naar alle verscholen rebellen. Hij stak zijn handen in gespeelde doodsangst omhoog. Zijn stem weerkaatste tegen de steile rotswanden, en het klonk alsof de heuvels vol zaten met mannen, die net als hij om genade smeekten. Hij klapte dubbel en lachte tot hij piepte als een oude man.

Het water werd weer vlak en Phil zag de romp van een schip, dat kilometers verderop in een bocht verscheen.

De stroming voerde hem naar het enorme schip, een of andere tanker. Toen hij eindelijk langszij kwam, klopte hij met zijn knokkels op de romp. Die was van metaal en de galmende donder die te horen was, klonk als de deur van een kerker die dichtviel. Het water had de blauwe verf weggesleten, die alleen nog hogerop zichtbaar was. Hij haalde zijn hand open aan de grote, witte zeepokken die aan de romp vastgegroeid waren, en het bloed dat eruit kwam had de kleur van tekenfilmappels.

Een echt schip.

Juist op dat moment werd er een touwladder naar beneden gegooid, die Phil stevig beetpakte.

Het monsterverbond

Net voordat de wereld naar de kloten ging, trouwde ik uit liefde met een man die grappig en briljant was, maar klein. Hij kon me niet optillen, zoals ik mannen op televisie met hun vrouwen zag doen. Ik werd nooit gierend van het lachen in de lucht gegooid, met trappelende benen, mijn hoofd naar achteren, op de tonen van een lichtvoetig liedje. Maar dat maakte niet uit. Ik hield van hem. Ik legde mijn kin boven op zijn hoofd als ik moe was, en als hij moe was, sloeg ik mijn sterkere armen om zijn kleine lijf heen. We waren gelukkig.

Maar op een dag kreeg ik koorts en was ik niet in staat uit bed te komen, dus waagde hij zich buiten, op zoek naar een apotheek voor medicijnen. Hij zei: 'Ik ben zo terug, lief,' pakte een paraplu en ging weg. Ik heb gehoord dat hij, hoewel hij woest met de paraplu zwaaide, al op de stoep voor ons huis te grazen werd genomen.

Mijn volgende geliefde was grappig, maar niet zo slim. Hij was wel een stuk groter, met meer spieren onder zijn huid dan zichtbaar waren, hoewel hij daardoor eerder uitgehongerd leek dan sterk. Ik had hem weleens gezien in mijn gebouw; hij repareerde dingen. Ik vroeg hem mijn lekkende kraan te repareren, en toen vroeg ik of hij wilde blijven.

Hij kon me in de lucht gooien, maar toen ik een keer met mijn benen trappelde, ging hij door zijn rug en vielen we op de vloer. Ik maakte hete kompressen om onder hem te leggen en maakte een bed op de vloer voor ons, zodat hij zich niet hoefde te verplaatsen. Hij vertelde me grappen terwijl hij daar zo lag, lachte dan en trok dan een grimas, want hij vergat telkens dat het pijn deed om te lachen. Maar dat vond ik leuk aan hem. We waren van plan te trouwen.

Op een avond, het was al erg laat, werden we wakker van de deurbel. Hij kwam overeind en stapte in zijn slippers.

Ik zei: 'Ga niet naar buiten.'

Hij zei: 'Maar er staat iemand aan de deur.'

Weer klonk de deurbel. Het is zo'n schelle deurbel die je vindt in oude steden vol boze mensen. Zo'n deurbel die je altijd doet schrikken.

Ik zei: 'Blijf hier,' en ik greep zijn arm.

Hij schudde zich los. 'Maar wat als iemand hulp nodig heeft?' Had ik al gezegd dat hij ook een goedhartige man was? Dat was hij.

'Niemand heeft hulp nodig,' zei ik en ik voelde me afschuwelijk. 'Het is een hinderlaag.'

Hij keek me aan alsof hij niet wist hoe ik zo was geworden. Ik schaamde me en wendde mijn blik af, hoewel ik wist dat ik gelijk had. Ik had de verhalen gehoord. Ik wist wel beter dan de deur open te doen.

'Er heeft iemand hulp nodig,' zei hij resoluut en hij schoot zijn kamerjas aan. Ik heb gehoord dat hij fel vocht, moedig, maar op zijn knieën werd gedwongen en vervolgens de straat uit werd gesleept. Nog dagen daarna dwarrelden er stukjes van zijn gescheurde pyjama in het rond, hoog in de lucht, in de kale bomen. Ik keek ernaar vanuit mijn raam.

Al snel trok er een man in het appartement boven mij. Mijn lampen en servies rammelden onder zijn zware voetstappen, kalkstof daalde neer op mijn avondeten. Ik wist hoeveel kracht er achter zulke voetstappen schuilgaat. En uiteindelijk trouwde ik met hem.

Ik was doodsbang voor hem. Hij was twee keer zo groot als ik. Als we vrijden, voelde het alsof ik werd overreden. Ik was zo plat als een dubbeltje, net als in tekenfilms. Mijn ribben kraakten als hij op me lag, en mijn heupen zaten rondom vol blauwe plekken als hij me van achteren had genomen. Hij gooide me in de lucht tot ik moest kotsen.

Hij was niet bijzonder pienter, maar hij was ook niet dom. Hij was niet grappig. Als ik een grapje maakte, staarde hij alleen maar. Hij was gewelddadig.

Maar hij nam me mee naar het park. Het leek wel eeuwen geleden dat ik buiten was geweest. We gingen naar de vijver en voerden de overgebleven eenden, de dieren die te ziek waren om op te eten, en mijn echtgenoot maaide iedereen die ons te grazen wilde nemen neer, alsof het jonge boompjes waren. Het voelde als een wondertje om weer naar buiten te kunnen.

Elke dag verliet mijn echtgenoot onze woning, zwaaiend met een honkbalknuppel. Als die brak, gebruikte hij zijn vuisten. Aan het einde van de dag lag onze straat vol lichamen. 's Avonds smeerde ik zalf op zijn knokkels, ik verbond ze en deed dat de volgende avond opnieuw, avond na avond. Elke ochtend braken de dunne korsten open; de wonden kregen geen tijd te genezen.

Toen mijn weeën begonnen, droeg hij me naar buiten en werden we te grazen genomen. Er werd aan mijn haar getrokken. Iemand stompte me in mijn bolle buik. Maar dat was maar een tijdelijke kwelling. Mijn echtgenoot beukte door de muur die ze vormden, alsof we op een rugbyveld liepen en ik een vreemd gevormde bal in zijn armen was. Overal om ons heen klonk gekreun, handen grepen ons tijdens onze vlucht. Ik dacht: Hoe kan ik een kind op deze wereld zetten? En toen dacht ik: Ons kind krijgt ten minste de helft van de genen van mijn echtgenoot. Wat de wereld ook in petto heeft, het kind van een man als deze kan het meer dan aan.

De bevalling nekte me bijna, zo groot was het kind. Zijn agressieve gekronkel scheurde dingen in mij kapot. Ik werd onder narcose gebracht.

Ik was al verzwakt door de bevalling, en nu nam mijn zoon mijn laatste voedingsstoffen; hij zoog me helemaal leeg. Na het voeden was ik te uitgeput om nog overeind te komen. Hij groeide tot een enorm formaat, een formaat dat me beangstigde maar ook verrukte. Ik wilde wanhopig dat hij zo groot en sterk zou worden dat niets hem ooit zou kunnen deren.

Toen hij zes maanden oud was, was hij al te zwaar voor mij om op te tillen. Maar hij had de hele tijd honger. Om hem te voeden, legde mijn echtgenoot hem op mijn borstkas, terwijl ik bewegingloos onder hem lag. Hij moest de hele dag thuisblijven om het kind op me te leggen en weer op te tillen. Uiteindelijk raakte hij zijn baan kwijt.

'Ik denk dat je moet stoppen met voeden,' zei hij op een avond.

Ik lag onder onze jongen, platgedrukt, amper in staat te ademen door zijn gewicht.

'Maar hoe moet hij dan groeien?'

'Kijk nou eens naar jezelf.' Hij kneep in mijn slappe biceps. Ik probeerde mijn spieren te spannen, maar mijn arm trilde alleen maar. 'Ik betwijfel of jij hem de voeding geeft die hij nodig heeft.'

We stapten over op zakjes voedingsmiddel die hij bij de supermarkt op de hoek kocht.

We waren een hele bezienswaardigheid. Ik was vel over been; mijn echtgenoot zat vol blauwe plekken en bloedkorsten van zijn tripjes om voedingsmiddel te halen. Onze zoon was evenwel schitterend; hij stampte door onze woning en was in staat om voor mij spullen van de hoogste planken te pakken. Zijn schouders waren breed als die van een trekpaard en hij droeg me erop rond alsof ik niets woog. Hij zette wankele stappen met zijn boomstammen van benen, als een peuter, maar dat was hij ook nog. Het was griezelig en spannend om zo hoog te zitten en zo te wiebelen. Ik streek met mijn vingers langs het filigraanwerk op het plafond van onze eens zo mooie woning.

Mijn echtgenoot stond erop dat we allemaal zakjes voedingsmiddel aten om aan te sterken. We hadden het nodig. Een man op een verdieping beneden ons was aangevallen in zijn appartement. Thuisblijven was niet meer vanzelfsprekend veilig. Maar het voedingsmiddel had een tegenovergesteld effect op mij. Ik werd zwaarder, maar niet sterker; mijn spieren beefden onder het extra gewicht.

Mijn echtgenoot eiste dat we sprintjes trokken in onze woonkamer. Driemaal daags werkten we een loopcircuit af. Na de lunch gingen we bankdrukken. Hij hield mij in de gaten en meestal was hij degene die de stang optilde, en restte mij niets anders dan me te schamen voor mijn vetzucht. Onze zoon bekeek ons belangstellend.

Toen hij twintig maanden oud was, kon hij al evenveel gewicht drukken als zijn vader. Hij droeg geen kleding meer; niets paste. In plaats van hem een luier om te doen wikkelden we hem in badlakens. Hij liep rond en lekte op elk meubelstuk. Ik deed lading na lading was. Niets in onze woning rook nog lekker.

Om geld en goederen te verdienen, deed mijn echtgenoot boodschappen voor de andere bewoners in ons gebouw. Hij ging voor hen naar de markt. Hij fungeerde als beveiliger, als zij naar buiten moesten. Hij begeleidde hen naar hun werk. Ons appartement kwam vol te staan met voorraden en vreemde luxegoederen, allemaal in ruil voor de diensten van mijn echtgenoot. Dure lakens, porseleinen kopjes, zilveren dienbladen. Ik spijkerde die zilveren dienbladen tegen de muur, zodat mijn zoon zichzelf kon bekijken als hij zich opdrukte en zijn biceps kon zien rollen in hun weerspiegeling.

Op een avond kwam mijn echtgenoot thuis met een gescheurd overhemd en zijn buik vol diepe, bloederige japen, alsof hij met de punten van een tuinhark was bewerkt.

'Het wordt steeds erger,' pufte hij. Ik moest een extra serie spreid-sluitsprongen en kniebuigingen doen en daarna kneep hij in al mijn spiergroepen, terwijl ik die aanspande. Ik hoopte dat het zou leiden tot zijn ruwe manier van seks, maar hij ging aan tafel zitten en liet zijn hoofd hangen.

Ik controleerde de voordeur en draaide alle extra sloten op slot. Mijn echtgenoot sloot er soms maar twee af, alsof hij het noodlot wilde tarten. Zou hij de indringers met brute kracht kunnen afweren, als ze de schamele twee sloten wisten te kraken? Drie? We wisten allemaal dat hij dat kon, maar ik hield van acht, een mooi getal vol rondingen, dat een hoop gemeen had met het teken voor oneindigheid. Op het eerste gezicht tenminste. Dus deed ik acht sloten op slot.

Onze jongen droeg me naar zijn kamer en ik las hem voor, terwijl hij buikspieroefeningen probeerde te doen zoals zijn vader.

'Je moet het diep in je buik voelen,' zei ik. Ik ging op mijn knieën naast hem zitten, terwijl hij vergeefs worstelde en legde mijn handpalm net onder zijn navel. Ik duwde, hij liet zijn adem ontsnappen en ik voelde de spieren samentrekken, terwijl zijn hoofd en schouders omhoogkwamen alsof ze vanaf het plafond omhoog werden getrokken.

Mijn echtgenoot maakte plannen om met ons naar een andere stad te verhuizen, waar het naar verluidt veiliger was. Hij zei: 'Hier kunnen we onze zoon niet laten opgroeien. Ik dacht dat het kon, maar het kan niet.'

'Het is veel moeilijker om ergens anders heen te gaan dan om hier te blijven,' wierp ik tegen.

'Het is nog tot daaraan toe dat wíj hier opgehokt zitten, maar hij moet naar buiten kunnen. Hij moet kunnen groeien.'

Hij keek naar onze jongen en knikte en onze jongen knikte terug, maar hij imiteerde alleen maar zijn vader; hij begreep niet wat er aan de hand was. Hij lag op de ingestorte bank, al lang geleden doorgezakt onder zijn gewicht en dat van zijn vader, en zoog een pak krachtvoer leeg. De omtrek van zijn borstkas leek te groeien terwijl ik toekeek.

'Het gaat prima met hem,' zei ik.

Maar mijn echtgenoot had zijn besluit genomen. Hij zuchtte en bekeek me van top tot teen. 'Ik zal je zo goed mogelijk beschermen,' zei hij. 'Wij samen.' Toen keek hij naar zijn handen en slikte het onvermijdelijke 'maar' in.

Kwaad liep ik naar het raam. Ik wist natuurlijk wat hij be-doelde. Ooit was ik sterk geweest. Ik had het tot dusver we-ten te redden. En nu, omdat ik hem een kind had gegeven, een zoon, was ik zwak en zou hij me achterlaten.

Ik dacht na over hoe het me hier alleen zou vergaan. Ik keek door de tralies voor het raam naar de rook van de vele vuren die tegen de hemel opvlamden. Toen de zon onder-ging, gloeide die ziekelijk paars, alsof hij een vreselijke griep had en het loodje zou leggen.

Ik zou het misschien een week of twee uithouden. Als ze erachter kwamen dat mijn echtgenoot niet meer patrouil-leerde in onze straat, zouden ze ons appartement inspecte-ren, mij hier alleen aantreffen en dan helemaal losgaan. Ik keek naar mijn zoon. Ik vroeg me af of hij zich druk zou maken als we afscheid moesten nemen. Hoe zou hij me zich herinneren? Ik zou die grappige vrouw zijn, die op zijn schouders reed. Hij zou zich herinneren hoe het voelde als ik daar zat, bijna gewichtsloos, gezien zijn kracht. Maar wat zou hij zich verder nog herinneren? Dat ik hem leerde buik-spieroefeningen te doen? Al mijn kracht aan hem gaf? Hoe-wel hij vaak een man leek, was hij nog maar een baby. Het was vreemd naar hem te kijken en te beseffen dat zij het pri-ma zouden redden. En nog vreemder om te beseffen dat zij, terwijl ze naar mij keken, wisten dat ik het niet zou redden. En dat zou niet meer veranderen.

Mijn echtgenoot vouwde kaarten uit op tafel. Hij wees een route aan met zijn enorme vingertop.

'We moeten over de bergen heen. De mensen daar zijn wilden,' waarschuwde hij terneergeslagen.

Maar het idee pepte mij juist op. Bergen zijn mooi. Het moet lente zijn, dacht ik, en misschien waren er wel bloe-

men te zien. Misschien konden we zwemmen in een berg-
meer, blauw als de ogen van mijn zoon, koud genoeg om
mijn vel te rimpelen. We zouden wellicht fluitende vogels
horen, in plaats van schreeuwende mensen. Als we in de bergen zouden wandelen, was de kans dat we te grazen werden
genomen dan even groot als wanneer we hier de deur uit
gingen? Ik kon bijna niet geloven dat er mensen waren die
nog meedogenlozer waren dan onze buren.

Ik moest denken aan foto's van mensen die in de boomstammen van grote bomen woonden. Het waren oude foto's,
al oud toen ik nog een kind was, maar vast en zeker werd het
nog altijd gedaan. Ik had hele auto's door uitgeholde boomstammen zien rijden, als stunt. 'Misschien kunnen we in een
boom wonen,' zei ik dromerig.

'Doe niet zo stom,' zei mijn echtgenoot kwaad. 'De bergen zijn gevaarlijk. Het is er niet zoals in de steden. In de
stad gaat het er nog altijd beschaafd aan toe.'

Ik lachte, hoewel hij het had gezegd zonder een spier te
vertrekken.

Ik pakte zijn kapotte handen beet. Ik kon zijn slappe, zware armen maar amper optillen om zijn handen naar mijn lippen te brengen. In een andere tijd, dacht ik, had ik hem geen
tweede blik gegund als ik hem op straat was tegengekomen.
Hij is bizar, met zijn driehoekige lichaam. Maar misschien
is hij een goede man en ik vroeg me af of hij, onder andere
omstandigheden of met iets meer tijd, in staat zou zijn me te
verrassen. Wellicht wisten we elkaar wel te verrassen. En is
dat niet waar het om gaat, als je met iemand een leuk leven
wilt hebben?

'Je maakte een grapje,' zei ik trots.

Verdrietig zei hij: 'Ha.'

We vrijden die avond en het was bijna teder. Alsof hij zich schuldig voelde en zich mij wilde herinneren, romantisch verlicht. Dus trok ik aan zijn haar en krabde het verband van zijn handen, beet in de korsten tot hij bloedde. De tranen sprongen in zijn ogen, maar hij liet me mijn gang gaan. Ik wilde hem iets laten zien. Geef me nog niet op.

Uiteindelijk mepte hij me weg als een vervelende vlieg. Mijn oog zwol op, zodat ik niets kon zien en in mijn oor zwol een blikkerig gerinkel aan. Nukkig wendde hij zich af.

Met mijn goede oog keek ik naar de kamer van mijn zoon, waar hij sliep, vredig en vol vertrouwen. Ik had het tot dusver gered. Stilletjes glipte ik uit bed. Ook ik kon meedogenloos zijn, zelfs in de geborgenheid van onze eens zo mooie woning.

Het komt

Het alarm gaat af, precies halverwege een presentatie. We proberen elkaar te zien in de schemergloed van Powerpoint-kleuren in het verduisterde kantoor; we schamperen, we staan perplex. Iemand zegt: 'Dit zal toch wel een oefening zijn?' We kijken naar het hoofd van de tafel, waar gewoonlijk onze baas zit, maar hij is er niet vandaag; een andere vergadering, in een andere stad. Uiteraard eigent Roger zich de autoriteit van onze afwezige leidinggevende toe. 'Ja,' zegt hij met een lagere stem dan normaal, 'gewoon een oefening, mensen,' en we zijn gedwongen de rest van de presentatie in ons op te nemen.

Maar al snel klinkt er gefluister onder het eentonige stemgeluid van de presentator. Iemand zegt: 'Ik bedoel, hoe groot is de kans dat het juist óns gebouw uitkiest?' Iemand antwoordt: 'Nou, het is anders wel het hoogste gebouw.' Iemand anders werpt tegen: 'Nee, dat is het niet.' Er wordt wat heen en weer gefluisterd inzake deze kwestie.

Aan het andere uiteinde van de tafel sist iemand: 'Ik dacht altijd dat het 's nachts zou komen, als iedereen slaapt.'

'Ja,' valt iemand bij, 'wat is er nou vreselijker dan een hele woonwijk kwetsbare, slapende gezinnen uit te moorden?'

'Precies! Ik voel me altijd veel veiliger als ik hier 's ochtends binnenkom.'

'Ja, dit móét wel een oefening zijn.' Plotseling houden die twee elkaars trillende handen vast.

De presentator breekt uiteindelijk zijn Powerpoint-presentatie af omdat iemand hard schreeuwt: 'Het is geen oefening! Het is geen oefening!' en we weten allemaal dat de schreeuwer gelijk heeft.

Dan komen we allemaal snel in actie en we snauwen: *Dit is het dan, mensen.* We herinneren elkaar aan het protocol, terwijl we onze spullen bijeengrissen. *Wees professioneel. Focus. Pak alleen het hoogstnodige. Die stomme paraplu kan je niets meer schelen, als het eenmaal je benen beet heeft.* Luxe kantoorstoelen draaien rond terwijl we truien, tasjes, colbertjes van hun leuningen trekken en uit de directiekamer stromen.

De nooduitgang valt voor onze neus dicht; de hele verdieping is al geëvacueerd, de laatsten laten een bedwelmende geur van kinderachtig parfum achter. We horen het geroffel van vele voeten, lager op de betonnen trap, en we staan op het punt te volgen, die nooddeur wijd open te gooien, als we paniekerig geschreeuw horen, helemaal onder in het trappenhuis. Het geschreeuw klinkt afgrijselijk, nat en papperig, en het geroffel van voeten komt weer langs de trap omhoog, hoewel het er zo te horen veel minder zijn.

We rennen weg van de deur en komen langs de conferentieruimte, waar de nieuwe personeelsleden knus bij elkaar zaten voor een trainingssessie. Ze zitten dicht opeen onder de lange, ovale tafel. Ze kennen het protocol voor noodsituaties nog niet. Dat staat op pagina 140 van hun handboek, en het is ondenkbaar dat ze deze ochtend al zo ver zijn gekomen. Thompson, die de training gaf, zit bevend onder het uiteinde van de tafel. Hij had zich ongetwijfeld niet terdege voorbereid op de trainingssessie en had nagelaten het protocol te herlezen; hij is iemand die graag improviseert, niet iemand die zich voorbereidt, wat soms fortuinlijk kan uit- pakken, maar soms ook onfortuinlijk. Op dit moment is het onfortuinlijk; de conferentieruimte heeft momenteel geen leidinggevende meer. We halen onze schouders op terwijl we langsrennen, alsof we willen zeggen: *Oeps* en, *Succes er- mee* en, *Kom niet achter ons aan.*

Als we de conferentieruimte eenmaal voorbij zijn, fluiste- ren we: *Parachutes*, extra zacht, zodat de nieuwe personeels- leden het niet kunnen horen. We rennen naar onze kantoren met uitzicht, waar onze parachutes voor noodgevallen veilig in kluisjes zijn opgeborgen. Een geheim extraatje voor de topmensen. Maar de parachutes zijn weg. De enigen die van hun bestaan wisten, waren de secretaresses die ze bestelden, de kluisjes bestelden, ze erin stopten en ons de combinaties vertelden. Het lijkt erop dat zij ze hebben weggenomen. En daar gaan ze al. De glanzende witte schermen zweven langs onze ramen, de rokken van onze secretaresses waaien op tot over hun gezichten. En wij dachten dat we hen konden ver- trouwen.

Nu willen we wel in paniek raken, maar in plaats daarvan steken we rustig de koppen bijeen. *Wat nu?* vragen we ons af. 'Deze kant op,' schreeuwt iemand en hij wijst een andere gang aan. We rennen.

Aan het einde van de gang hebben we twee opties: naar rechts, de gang die naar de kantine voert in, of naar links, door de gang naar de wc's. We zijn met zovelen dat we dicht op elkaar staan en de gang blokkeren. Iemand roept: 'Op- splitsen!' en dat lijkt een goed idee, dus splitsen we ons op en sommigen van ons gaan naar de kantine en anderen gaan naar de wc's.

Voor de dames en heren aarzelen we; we zijn een mengeling van dames en heren. Moeten we doorgaan ons op te splitsen, of tegen het bedrijfsbeleid ingaan en een wc binnengaan die niet correspondeert met onze sekse? Niemand die dat doet, zelfs niet tijdens kantoorfeestjes, als iedereen dronken is. Het is een van de regels die strikt worden nageleefd. Maar als we ons opsplitsen, maken we ons dan niet te kwetsbaar? Als het zich zou vergrijpen aan de vrouwen die zich in de dames-wc verschuilen, zouden we dat vreselijk vinden. We zouden het overigens net zo vreselijk vinden als het zich vergreep aan de mannen in de heren-wc. Het zou veel beter zijn als iedereen bij elkaar was gebleven en naar links was gegaan; dan zou er een groter aantal mannen én vrouwen zijn geweest en hoefden we ons minder zorgen te maken.

Maar ook in de kantine zijn er problemen. Te velen van ons zijn rechtsaf gegaan. We schreeuwden nog: *We zijn met te veel!* toen we ons door de gang wurmden, maar niemand wilde degene zijn die de andere kant op zou gaan, om weer kwetsbaar langs die open T-splitsing te moeten lopen; stel dat het juist op dat moment door de gang kwam aangesprongen en ons zou grijpen met zijn groteske armen? We persen ons in de kantine, duwen en trekken om een plaatsje zo ver mogelijk van de deur verwijderd in te nemen, maar er zijn maar zoveel van zulke plaatsen en sommigen van ons komen er niet eens in en blijven kronkelend achter in de deuropening. We geven onze fout toe, want dat is altijd het beste. *Dit gaat niet werken!* gillen we.

In de tussentijd schreeuwt iemand bij de wc's: 'Het kijkt vast niet in de dames-wc.' Waarom niet? Wie zal 't zeggen, maar we zien er allemaal de logica van in en stormen naar binnen.

We kunnen maar moeilijk geloven hoe mooi de dames-wc is. Het ruikt er goed; het is er heel schoon. We blijven dicht bij elkaar, weg van de deur, en wurmen ons de gehandicapten-wc binnen. Dan stormt de kantinegroep binnen, die volhoudt dat het niet ging werken. Het is goed dat we weer samen zijn. Totdat Gloria fluisterend begint te jammeren dat ze toch liever in de kantine had willen blijven, zodat ze haar lunch kon eten. 'Ik heb een restje noedels meegenomen. Ik verheugde me daar zo op.' We luisteren, maar we kunnen ons niet voorstellen hoe ze op een moment als dit honger kan hebben. Dan wordt ze huilerig. 'Ze waren over van een date die ik gisteravond had. Het ging heel goed. Jullie weten toch hoe moeilijk ik het heb gehad?' Dat weten we. We knikken. 'Ik vond hem echt leuk. Ik zou aan hem denken, terwijl ik de noedels at.' Ze brult. Het lukt enkelen van ons om haar stil te krijgen, waarna ze onnozel glimlacht. We denken na over de date van Gloria, hoe hij eruit heeft gezien, wat voor soort noedels ze gegeten hebben, en of de date wel zo goed was verlopen als zij beweert, want Gloria heeft de reputatie dat ze de dingen weleens mooier voorstelt dan ze zijn. We denken aan onze eigen lunchpakketten en waarom daarin niets te vinden is wat ons nog een laatste pleziertje zou brengen, als we werkelijk aan ons einde zijn gekomen. We denken aan onze geliefden, als we die hebben. We drukken ons strak tegen elkaar. We luisteren of het komt.

Stan staat pal naast Susan, zijn ogen strak op de vloer gericht, zijn hand wiebelend in zijn broekzak. Meteen beseffen we dat hij onder Susans rok kan kijken via de glanzende marmeren vloer, kan zien hoe haar zachte dijbeen overgaat in haar gebloemde onderbroekje, en dat hij steeds stijver wordt. Ook Susan beseft dit.

Stan voelt hoe de verhevigde stilte in de wc zich verder verhevigt en begrijpt dat hij is betrapt. Schaapachtig kijkt hij om zich heen, zijn wiebelende hand vertraagt, hij haalt hem uit zijn zak en bloost achter zijn grote bril.

We willen juist afkeurend: *Stan* kreunen, om te zeggen: *Dit is écht niet professioneel*, maar Susan kijkt ons aan alsof ze zojuist een van die aha-momenten heeft gehad die in onze branche zo worden gewaardeerd, pakt dan Stans hand en duwt die onder haar rok, en na een korte, verbaasde aarzeling begint hij haar te vingeren, recht onder onze neus, totdat haar dijen glinsteren en we haar mond moeten bedekken zodat haar orgasme ons niet verraadt. Uiteraard bijt ze ons in het wilde weg, waardoor we met natte, zere vingers achterblijven. En Stan, met de meest ontzagwekkende grijns op zijn smoel en zijn bril helemaal scheef op zijn gezicht, tovert een kloppende, bolle erectie tevoorschijn achter de stof van zijn twillbroek, die uiteindelijk wegtrekt, met achterlating van een donkere vlek, als kwijl op een kussensloop, gewoon omdat hij Susan tot een climax heeft gebracht in de dames-wc, op wat misschien wel de laatste dag van ons leven zal zijn. We kijken ernaar met vlijmende afgunst, maar we kunnen zelf natuurlijk moeilijk iets soortgelijks doen, of wel soms?

Als Susan in Stans armen in elkaar zakt, hijgend en mauwend, horen we het gedempte gekraak van ledematen, lichamen die doorkliefd worden, elke hikkende, krassende doodskreet; het heeft de nieuwe medewerkers ontdekt. 'Kom, we gaan!' zegt iemand en we verlaten de wc.

Een stapel lichamen blokkeert het trappenhuis. Vanuit de conferentieruimte glijden bloederige ingewanden onder de deur door. Daarbinnen klinkt het alsof veertig tijgers met elkaar worstelen. We moeten nadenken. We weten wat onze beste optie is, maar dat willen we niet toegeven. We wisselen blikken uit; de bezwaarde blikken die horen bij het nemen van moeilijke besluiten. We kennen ze; wij zijn topmensen. We willen net zeggen: *De enige uitweg is omhoog*, als we links van het midden van onze groep een man en vrouw horen giechelen.

Stan heeft Susans blouse opengescheurd, de knoopjes vliegen in het rond. Hij wrijft haar grote, paarse tepel tussen zijn vingertoppen. En zij begint weer te kreunen. We sissen: *Kom op, luitjes* waarmee we willen zeggen: *Dit is echt heel onprofessioneel*. Maar ze gaan gewoon door. Nu heeft Stan zijn schoenen uitgetrokken en zijn broek laten zakken, en hij heeft verrassend harde, pezige benen onder zijn deegachtige torso. Susan speelt met zijn kloppende pik; die lijkt ja te knikken. Ze is helemaal naakt en haar borsten hangen lager dan ons eerder was opgevallen; ze zijn niet alleen groot – dat wisten we wel – maar ook zwaar en haar buik steekt net genoeg uit, waardoor haar borsten daarop lijken te rusten. En het is niet dat het niet aantrekkelijk is; het is gewoon, alweer, verrassend. En we verwonderen ons erover dat lichamen er naakt nooit uitzien zoals ze er in kleding uitzien. *Wanneer leren we dat nu eens?* berispen we onszelf en we zouden willen dat we meer tijd hadden genomen om elkaar te bewonderen, onze geliefden, onszelf.

In de conferentieruimte klinkt het alsof veertig krokodillen met elkaar worstelen in een moeras, en het bloed komt in golven onder de deur uit.

Stan en Susan vallen op de grond, hun ledematen strekken zich verstrengeld uit; onze groep raakt ernstig verstoord.

'Laat ze maar,' schreeuwt iemand. En we rennen ervandoor.

Omdat dit ons gebouw is, weten we dat er achter een deur met daarop VERBODEN TOEGANG een kort trappenhuis is, dat verdergaat boven het gewone trappenhuis, dat vol ligt met lichamen. Het heeft een onafgemaakte kwaliteit, maar het is veilig. Als iemand iemand anders meeneemt tijdens de kerstborrel komen ze waarschijnlijk hier terecht, en het zijn waarschijnlijk medewerkers uit de lagere echelons, eenzame nieuwe medewerkers, onze onbetrouwbare secretaresses die zich langs achtergelaten gipsplaten en ongebruikte buizen wurmen en een trapreling vinden waarover ze zich voorover kunnen buigen, een muur om zich tegen af te zetten.

We klauteren erheen en glijden uit over de gevilde lichamen die de deur blokkeren; de binnenkant van hun huid is glibberig en de plakken rauwe, paarse spieren lijken nog stuiptrekkingen te vertonen. We hopen dat het komt door het flikkerende licht. Helemaal beneden in het trappenhuis liggen de lijken als een hoge muur opgestapeld. Precies wat we verwachtten. We zouden geen kans zien om ons een weg te banen tussen zoveel verminkte ledematen van gewezen medewerkers door.

We gaan omhoog.

Hier en daar hangen flikkerende werklampen, die ruiken naar dolgedraaide elektromotoren; in de sluier van bruin licht ziet het trappenhuis er verraderlijk uit. We gaan op de tast langs de muur en de reling omhoog. Boven schijnen overal lampen en we moeten onze ogen afschermen tegen het licht. Werklui moeten een of ander project hebben verlaten tijdens het eerste alarm. Misschien liggen hun lichamen in de lijkenmuur.

Hier staan we dan.

We horen: 'Wacht!' en Stan en Susan verschijnen onder

ons. Ze volgen ons naakt en we horen het springen, vlak achter hen. Stans angstige pikje zwaait tussen zijn benen heen
en weer en de borsten van Susan klappen tegen elkaar, bij
elke paniekerige stap. Ze lopen hand in hand, hun vingers
verstrengeld en intiem, alsof ze al een heel leven samen hebben gewandeld, elkaar vasthoudend. En het is echte doodsangst die we in hun ogen zien, want ze vrezen niet alleen
voor hun eigen leven, maar ook voor dat van de ander. Hun
voeten zijn bloederig en ze strompelen, glijden uit, trekken
elkaar voort, proberen elkaar te zoenen en te omarmen en ze
huilen en huilen.

Het volgt hun geur.

En o, we kunnen niet vertellen wat er vervolgens gebeurt,
het is gewoon te vreselijk. En te verdrietig. Maar het geeft
ons de tijd het dak te bereiken.

Als we de deur openduwen, vliegen duizend duiven ver-
schrikt op. Die dachten een goede schuilplaats te hebben
gevonden. Bedenk maar iets anders, duiven. We stapelen
rommel van het dak tegen de deur om zijn voortgang te ver-
tragen.

Over de hele stad janken de sirenes. Vanaf de dakrand
zien we hoe mensen de straten op stromen, over de straten
de brede boulevards bereiken, om vervolgens op de rijstro-
ken van de hoofdwegen uit te komen, waar voertuigen vast-
lopen in de drukte en de bestuurders zich bij hen voegen in
deze snelvoetige exodus; ze rennen rond over klaverbladen
die uitkomen op snelwegen totdat die zich vernauwen tot
landwegen die door kleine plaatsen voeren, zich vertakken
in buurtstraten en oplossen in velden vol hooi; al die mensen
waaieren uit over dat doodse herfstgeel totdat ze de bossen
bereiken en dan kunnen we hun voortgang volgen aan de

bevende boomtoppen, terwijl de miljoenen zich tussen die arme boomstammen door worstelen en de bosgrond vertrappen. Het is alsof een grote, groene golf hen wegspoelt in de richting van de oceaan en we vragen ons af wat er dan gebeurt. Zullen ze uit verwarring het water in waden? Of zullen ze halt houden, teruglopen en zich verschuilen in de bossen en bergen, zichzelf wijsmaken dat ze een natuurlijk talent hebben om te overleven? Dat hadden we graag willen weten en dat kunnen we ook: het is een hoog gebouw, een van de hoogste, en vanaf hier kunnen we alles zien. Juist op dat moment vallen de sirenes stil; de stad is leeg, afgezien van ons. En we horen een ritmisch gerommel onder onze gepoetste schoenen. Het is klaar met Stan en Susan en nu komt het ons halen.

We zweren elkaar dat het ons niet levend te pakken zal krijgen; dat we niet angstig ineen zullen krimpen en gegrepen zullen worden; we hebben al te lang gevochten. We zullen springen als het de deur met geweld openduwt. We zullen samen springen, op de derde tel. Wij zijn verdomme topmensen, en dit is ons gebouw, ons bedrijf. De slachting in de gangen en trappenhuizen is onze slachting; dat waren ónze medewerkers.

We staan op de rand van het dak, schrikken van de wind. De zon verdwijnt achter grimmige wolken. 'Ik kijk het recht in de ogen,' neemt iemand zich huilerig voor. We knarsen op onze tanden.

De deur gaat op een kiertje open, langzaam, alsof het geniet van deze laatste momenten. De stapel afval die ons moest beschermen valt om. 'Denk erom, op de derde tel,' zegt iemand met een brok in zijn keel.

Dan zegt Roger: 'Wacht even, ik heb een idee.' Hij stapt

weg bij de dakrand. 'Stel je eens voor.' Hij maakt een rechthoek met zijn handen, alsof hij een portret inkadert; een portret van zijn idee.

We beven. We pissen in onze broek. Maar we luisteren.

'Vraag je eens af: wil het ons wérkelijk vermoorden?'

Als de deur verder opengaat sijpelt fel oranje licht uit het trappenhuis de grijze lucht binnen. Het lijkt daar te zijn, werpt zijn schaduw vooruit en bereidt zich voor.

Heb je het trappenhuis niet gezien?

Van die nieuwe medewerkers is niets anders dan pap overgebleven.

Roger steekt zijn hand omhoog om ons tot stilte te manen. 'Ik weet 't, ik weet 't. Maar wij zijn topmensen. Wij komen tot hier.' Hij houdt een vlakke hand boven zijn eigen hoofd. 'Wij zijn topmensen.'

Maar dat waren Stan en Susan ook.

Roger schudt zijn hoofd. 'Ze waren hun *focus* kwijt. Het ontbrak hun aan leiderschap. En kijk ze nu eens,' zegt hij. 'Geloof me. Wij beschikken over iets wat het goed kan gebruiken. Wij zijn goudhaantjes.' Dan laat hij nederig zijn schouders hangen, alsof hij wil zeggen: *Maar wat weet ik nu helemaal?* en dat is Roger ten voeten uit, want hij kan het afkeurende gemompel dat hij heeft uitgelokt duidelijk horen. Hij wipt heen en weer op zijn brogues en glimlacht. Roger houdt ervan om verwarring te zaaien.

Iemand begint af te tellen.

'Eén.'

We pakken elkaars handen. Sommigen van ons knijpen hun ogen dicht.

'Wacht even, laten we nog eens nadenken over wat Roger zei,' zegt een smekende stem.

Het is stil, hier op het dak, ver boven een stad zonder mensen. Het enige geluid is de schrapende adem achter de deur; het gekraak van gebouwen die, zonder het gewicht aan menselijke lading, vrij heen en weer zwaaien in de wind; en Roger, die fluit.

'Twee,' horen we iemand zeggen.

Oké, wacht even.

We willen het zeker weten.

Het slaat zijn bloederige klauwen om de deur. Maar dankzij Roger zien sommigen van ons ze als vriendelijke klauwen, als de klauwen van een potentiële zakenpartner. Onze harten bonzen in onze oren. Er is wat beweging op de dakrand. Sommige vingers wurmen zich in paniek los uit de handen die ze vasthouden, terwijl andere vingers zich krabbend proberen vast te klampen. Onze ademhaling is zwaarwichtig; ze roert de wind. Verderop beginnen onderhandelingen. Zal een latent instinct de kop opsteken, voordat onze lichamen het asfalt raken? Dat hopen we, maar er is geen garantie. En wat als we de sprong overleven, zal het leven in deze nieuwe wereld het leven waard zijn? Dat is moeilijk te zeggen; we moeten dat laten onderzoeken. Zullen we zijn laatste vleesschotel worden als we hier blijven? Dat risico is er altijd. Heeft Roger gelijk? 'Ik heb gelijk,' zegt Roger. Maar welke acties moeten we dan ondernemen?

Nou?

Het komt eraan.

Laat me even denken.

Het verbaast ons dat we wensen dat Stan en Susan nog onder ons zouden zijn. Roger beweert dat het hun aan leiderschap ontbrak, maar ze gingen wél op hun gevoel af. Ze namen risico's. Ze verlangden naar iets en gingen ervoor.

Ze aten hun noedels, beseffen we en deze metafoor stemt ons tevreden. Tuurlijk, ze kwamen vreselijk aan hun einde, maar onder al dat bloed en die tranen zagen we een rust zoals we die nooit eerder zagen. Die rust zouden we zelf maar al te graag voelen. Maar kijk, de deur is helemaal open en het komt snel op ons af.

Meteoroloog Dave Santana

Meer dan eens stopte Janet, als ze keek hoe Dave Santana het lokale weerbericht presenteerde, haar handen in haar broek. Op de dag dat hij een nieuw scherm introduceerde – waar hij met zijn handen overheen streek om wolken uit het westen of zware regenval in het zuiden tevoorschijn te toveren, in plaats van met klittenband plaatjes van blije zonnetjes en ondeugend kijkende wolkjes vast te plakken – stelde Janet zich voor dat zíj het nieuwe scherm was, terwijl ze schrijlings op en neer wipte op de leuning van haar bank.

Tijdens de eerste noordooster van die winter was Dave Santana vijf hele dagen op tv; elk uur een update en lange items met hem tijdens het normale nieuws. Janet bewaarde haar ranke vibrator in de zak van haar ochtendjas of onder het elastiek van haar slipje: paraat, zowel een noodzaak als een voorrecht, als een extra ledemaat.

Hij hielp hen door de storm. Vanaf de eerste weersverwachting, tijdens de voorzorgsmaatregelen, gedurende de storm zelf en de trieste nasleep ervan. Triest, omdat sommige mensen hun huis waren kwijtgeraakt, sommigen zelfs hun leven, maar Janet dacht dat Dave verdrietig was omdat er een einde aan was gekomen. Alsof hij erover nadacht, terwijl hij die tragische dagen nog eens samenvatte, hoe hij in zijn auto zou stappen en terug zou rijden naar de nieuwbouwwoning die hij van zijn meteorologensalaris had gekocht en die groot genoeg was voor een gezin, hoewel hij vrijgezel was, en macaroni met kaas zou maken en herhalingen zou kijken totdat hij in slaap zou vallen. Een groots moment waarover hij de gezagvoerder was geweest, was buiten zijn schuld ten einde gekomen. Ze begreep hem maar al te goed. Zij probeerde haar leerlingen te leiden; zij was hun rolmodel op het gebied waarop hun moeders hen in de steek hadden gelaten – hoe je het wél allemaal kon hebben. Maar ze kon hun ook niet alles leren. Toen een paar van hen onvermijdelijk toch zwanger werden in het laatste schooljaar, voelde dat als een persoonlijke nederlaag. Die teleurstelling die zij en Dave deelden – deze synchroniciteit – wond haar op.

Hoewel hij klassiek onaantrekkelijk was – klein en kalend, zijn lichte huid bijna niet te onderscheiden van zijn haarkleur, zijn wenkbrauwen amper zichtbaar – was hij wél een man uit New England. Ze hield van de mentaliteit van mannen uit het noordoosten. Ze hadden niet de dromerigheid van de mannen van de prairies, waar de lucht zo weids was dat ze erin verdwaalden; noch hadden ze de lethargie van mannen uit het noordwesten, wier hersenen waren verweekt door de regen, of die uit het zuidwesten, die ernaar streefden lomp en droog te zijn. Ze had ze allemaal gehad. Mannen uit het noordoosten waren praktisch, ze konden alles aan, want ze hadden de ergste winters, de heetste zomers en de mooiste herfsten overleefd. Mannen uit New England waren tegen alles bestand. Er was niets zo opwindend voor haar als meteoroloog Dave Santana die het woord 'noor'ooster' uit zijn mond liet rollen, sappig van betekenis en dreiging, als een gladde tong. Bovendien was hij haar buurman.

Toen de storm voorbij was, de wind was gaan liggen en de

luchten niet langer geduid hoefden te worden, wachtte Janet
tot hij terug zou keren naar zijn huis op het woningcomplex,
zo martelend nabij. Ze hoopte dat hij nog steeds de teleurstelling zou voelen, die elk einde met zich meebrengt. Ze
wist dat ze hem kon opbeuren.

Toen Dave Santana eraan kwam, schoot Janet haar kamerjas
aan en ze deed de voordeur open; in de ijzig koude lucht
keek ze toe hoe hij zijn spullen uit zijn blauwe middenklasser
haalde en ze schraapte haar keel.

Dave schrok. Toen hij haar zag, trok er een uitdruk-
king over zijn gezicht – ze had graag gezien dat het er een
van schuchter plezier was, maar ze wist wel beter; het was
schuchter vanwege iets anders. Ze had hem het afgelopen
jaar vaak opgewacht in haar deuropening, had hem uitgenodigd wat te komen drinken, gevraagd een lamp te verwisse-
len, een muis te doden. Meestal probeerde ze zich aan hem
op te dringen en telkens wees hij haar af. 'Janet, ik ben moe,'
of: 'Ik moet morgen vroeg op voor het weerbericht voor de
visserij.' Eenmaal greep hij boos haar polsen beet en hij zei:
'Ik ben een meteorolóóg,' alsof dat haar een of ander prin-
cipe duidelijk moest maken. Bedoelde hij dat hij te goed was
voor haar? Te onbeduidend? Maar de laatste keer, nadat de
nodige drank was gevloeid, was er iets meer gebeurd. Stre-
lingen, een zoen, eerst timide, daarna talmend, alsof Dave
Santana nog een besluit moest nemen. Daarna vertrok zijn
gezicht en ging hij ervandoor. De weken daarna probeerde
ze het niet meer, ze zei tegen zichzelf dat ze niet zó pathetisch was en stoeide met wat gemakkelijk te krijgen kerels uit
de bar in een nabijgelegen stad, waar ze graag kwam. Maar
door deze noor'ooster en Daves gezaghebbende aanwezig-

heid op haar televisie, avond na avond na avond, was ze gezwicht.

'Janet,' zei hij. 'Het is een beetje fris voor slippers.'

'Maak je om mij maar geen zorgen. Ik ben altijd heet,' zei
ze, terwijl haar hand over de deur streek en ze haar heup uit-
stak. Geen reactie, zelfs geen trekje rond zijn lippen. 'Luister, ik wil je dolgraag iets vragen over die windstoten die we
hebben gehad. Hoe hard waren die ook al weer?' zei ze met
haar beste, gefascineerde stem. Bij 'windstoten' zag ze een
flauw glimlachje.

'En moet ik nog steeds bang zijn? Want je weet hoe bang
ik soms ben,' zei ze. Ze liet haar ochtendjas van een schouder glijden, trok hem toen weer omhoog en huiverde, zodat
haar heupen schudden. Ze wilde dat hij zou zien hoe kwetsbaar ze zichzelf kon maken. Dan kon hij besluiten om haar
te beschermen of haar te neuken. Bescherming was prima,
neuken nog beter, maar allebei was het beste.

'Janet,' zei hij weer, maar zijn stem klonk milder. 'Ik weet
hoe bang je bent.' Hij kwam binnen en zei: 'Maar je hoeft
niet bang te zijn voor het weer. Zelfs niet voor stormen als
deze.' Hij aanvaardde haar gin. Ze had goede hoop.

Nadat ze een onderzetter had laten vallen en voor hem
vooroverboog om die op te pakken, waarbij ze haar ochtendjas een beetje open liet vallen, voelde ze hoe hij ontspande. Ze wist dat hij had gekeken, had gehoord hoe zijn
stem stokte, terwijl hij uitlegde hoe windsnelheid werd ge-
meten. Toen ze zich over hem heen boog om een tijdschrift
te pakken met een artikel over Atlantische stromingen dat
ze voor een moment als dit had bewaard, betastte hij haar
subtiel. Uiteindelijk, met een diepe zucht, wetend dat dit het
einde van de avond kon zijn of het begin, ging ze ervoor;

ze liet haar hand tussen zijn benen glijden tijdens een uit-
gesponnen les over luchtdruk – *Lucht heeft wel degelijk een
gewicht, net als een mens, een gewicht dat de hele tijd op ons drukt,
zelfs nu* – en na een verbaasde blik trok hij haar ochtendjas
open. Hij scande haar hele lichaam, als een wetenschapper.
Ze leunde achterover, haalde een vinger over haar lijf en zag
hoe zijn ogen de vinger volgden tot waar hij verdween. Ze
dacht dat flauwe glimlachje weer te zien. Toen trok hij zijn
riem los, stapte uit zijn kakibroek en stortte zich op haar. Ze
vielen op de vloer, duwden de salontafel opzij, hun ledematen verstrengeld, tot hij haar benen wijd uiteen duwde en
zichzelf in haar bracht.

Ze hoefde niet te doen alsof; het wás goed. Maar nog
steeds deed ze alles een beetje luider, hijgeriger, ruiger, gewoon om zeker te weten dat de boodschap overkwam: *Jij
bent belangrijk voor me. Zelfs na de storm heb ik je nodig.*

Ze gingen verder in de slaapkamer. En toen hij uiteindelijk in slaap was gevallen, streek zij het haar op zijn borstkas
en rug glad. 'Zo gepassioneerd,' mompelde ze.

's Ochtends zag ze hoe hij wegglipte. Hij sloot de slaapkamerdeur zachtjes, maar eenmaal bij de voordeur waren zijn
gedachten ergens anders: hij liet hem hard dichtvallen. Als
ze had geslapen, was ze ervan wakker geschrokken; dan was
ze gedesoriënteerd geweest, had ze zich afgevraagd wat er
was gebeurd. Maar nu verwachtte ze het en voelde ze een
zachte rilling door haar lichaam trekken.

Janet probeerde Dave weer tegen het lijf te lopen, hem op
de een of andere manier bij haar thuis te krijgen. Maar hij
deed nooit open als ze op zijn deur klopte. Reageerde niet
op de briefjes die ze op zijn deur of op de voorruit van zijn

auto plakte. Soms ving ze een glimp van zijn rug op, als hij zijn huis binnenging, of zag ze zijn schoen, als hij in zijn auto stapte, zijn gezicht onzichtbaar door de ochtendzon die weerkaatste op de autoruiten. Het voelde langzamerhand alsof hij nooit had bestaan. Behalve als ze 's avonds naar hem keek, dan herinnerde ze zich weer hoe zijn gewicht op haar had gedrukt.

Op een ochtend zag Janet een vrouw uit Daves huis komen. En op verschillende ochtenden daarna zag ze haar weer. De vrouw was muisachtig; haar futloze bruine haar hing steil langs haar rug, tenzij ze het had opgebonden in een dunne, slordige paardenstaart. Ze vertrok altijd vroeg, moest duidelijk eerst langs haar eigen huis om zich klaar te maken voor de werkdag. Ze waren nog niet zover dat zij haar spullen had meegenomen naar zijn huis, besloot Janet.

En toen kwam de lente.

Janet kreeg weer een onderscheiding: Docent van het Jaar, voor het vijfde jaar op rij. Het was alsof de meisjes, die haar aanbaden, haar het perfecte afscheidscadeau gaven. Het is nooit een overgrote meerderheid, maar er zijn meer meisjes dan jongens en nou ja, de meisjes zijn gek op me, zei ze toen haar mededocenten haar lauwtjes feliciteerden. De docenten hadden allemaal een hekel aan haar, dat wist ze zeker. Ze vonden Janet griezelig. Dat was hun woord voor mensen die beter waren dan zij. In alles. En dat altijd waren geweest. Ze was al jaren geleden opgehouden zich nederig voor te doen, en daardoor meden volwassenen haar. Ze wisten niet hoe ze zich moesten gedragen in het gezelschap van iemand die geen geheime schaamte, schuldgevoelens, trauma's of zelfhaat kende.

Ondertussen waren de tienermeisjes vol ontzag. Ze hadden nog niet geleerd dat ze bang moesten zijn voor mensen als Janet. Ze keken naar haar en dachten: Mooi! Slim! Zelfverzekerd! Dát is iets om na te streven. Ze waren nog één stap van de volwassenheid verwijderd en hadden dat extra zetje nodig. En Janet wilde hun dat maar al te graag geven, om te zorgen dat ze slim bleven en niet in de problemen raakten. Ze had zelfs speciale lessen seksuele voorlichting voor de meisjes opgestart na schooltijd, en daar waren ze haar dankbaar voor. Als het nodig was om een les te wijden aan de perfecte pijpbeurt zodat neuken overbodig was, of inventieve manieren om een condoom aan te brengen, waardoor het een traktatie leek er een te moeten dragen? Ze wist allerlei trucjes. Tips om de verleidster te zijn en zo controle over de gebeurtenissen te houden? Ze was een geboren verleidster. De handtekening van een van de ouders nodig voor voorbehoedsmiddelen? Waarom ook niet? Voor haar gevoel waren ze allemaal haar dochters.

De mannen in haar leven zeiden dat ze te bazig was in bed, hen altijd in een andere positie wilde leggen en zuchtte als ze iets fout deden – Dáár. Nee. *Daar.* Maar even serieus, hoe moeilijk is het nou om een vrouw te bevredigen? Hadden ze het ooit ook maar geprobeerd? Zelfs zíj had het geprobeerd. Natuurlijk, het was niet altijd gemakkelijk. En veel vrouwen waren zo behoeftig en daarna overdreven dankbaar. Vooral de moeders. Zoals mevrouw Howard van de ouderavonden. Die hunkerende ogen. Waarom niet? had Janet gedacht. Het was waarschijnlijk het eerste orgasme dat deze vrouw kreeg, of het eerste goede. Daarna krulde ze zich tegen haar aan en koerde totdat Janet uiteindelijk, zo vriendelijk als ze kon – ze wilde niet wreed overkomen – zei: 'Genoeg nu,' en zich begon aan te kleden. De blik op het gezicht van mevrouw Howard: alsof ze een spook had gezien, misschien wel twee. Janet nam daarna niet meer op als ze belde. Ze belde maar een paar keer.

Over één man, al weer wat jaren geleden, was ze erg optimistisch geweest. Hij was een leraar; slim, sexy als hij een jasje droeg, geen stropdas; zijn overhemd had altijd een extra knoopje los en gaf een mannelijk plukje haar prijs. Hij vond het niet erg hoe ze zich in bed gedroeg; hij reageerde goed op haar. Hij leefde op als ze zijn oren tussen haar benen klemde en 'Sneller!' schreeuwde. Hij werd harder als ze eiste dat hij dieper in haar moest komen en zei: 'Jazeker, Janet,' alsof hij wilde zeggen: 'Ja, mevrouw.' En ook hij kon het, puffen en kreunen alsof hij een berg beklom terwijl hij in haar pompte: zijn onderarmen en biceps strakgespannen als hij haar optilde en haar heupen naar zich toe trok. Een wilde angst maakte zich van haar meester, dat hij door wat het dan ook mocht zijn dat zich nog tussen hen bevond heen zou breken en zichzelf zou verliezen in de viezigheid van haar ingewanden. Het was de beste seks die ze tot dusver had gehad. Maar al snel bleek dat hij was teleurgesteld in het leven. Hij had altijd gedacht dat hij in de politiek zou gaan, zou dineren met de president en als senator smeergeld zou kunnen aanpakken. Hij had zich nooit voorgesteld dat hij leraar zou zijn in een klein stadje dat niet eens aan de kust lag, hoewel er niet ver vanaf. Hij raakte terneergeslagen en verwachtte dat zij hem troostte, zou zeggen dat hij speciaal was, dat hij tot alles in staat was – wat vrouwen dan ook geacht worden te zeggen tegen mannen die is verteld dat ze grote dingen van het leven mogen verwachten. Ze overwogen meestal niet dat 'groot' ook gewoon kon betekenen: een vaste baan, meestal gelukkig zijn en af en toe goede, dan wel geweldige seks. Haar was nooit verteld ook maar iets te verwachten, dus deed ze wat ze wilde en leerde ze haar leerlingen hetzelfde te doen. Ze had haar onderscheidingen gekregen omdat ze iets deed waarvan ze hield en daarom goed deed, niet omdat ze verwachtte onderscheiden te worden. Dave Santana was belangrijk, niet omdat hij dacht dat hij belangrijk moest zijn, maar omdat hij belangrijk werk deed, en dat wist hij. Alweer iets wat ze met elkaar gemeen hadden.

Ze maakte het uit met die leraar. Later werd hij lid van de staatsassemblee. Janet zag hem op een campagneposter die in iemands voortuin stond. Hij zag er goed uit. Zelfs nog knapper; hij droeg een das. Ze had nooit overwogen hem te vragen een das te dragen; ze had heel zeker geweten dat hij er zonder das op z'n best uitzag. Hij poseerde met een vrouw en twee kinderen. Ze had hem nooit horen praten over een vrouw, noch over kinderen. De vrouw zag er lankmoedig uit, niet fris en nieuw, en de kinderen waren van middelbareschoolleeftijd, hoewel Janet nog maar vier jaar geleden zijn geliefde was geweest. Vijf, hooguit. O, de ellende die ze kon aanrichten met één simpel telefoontje. Maar dat was niet haar stijl. En hoe dan ook, het feit dat hij zo'n geheim had weten te bewaren maakte hem nog interessanter.

De voorjaarsstormen waren meedogenloos dat jaar. Ze keek hoe Dave het weer temde en het wond haar op, nu ze wist hoe hij was. Toen hij de regio bezwoer niet bang te zijn voor dit ongebruikelijke weer, voelde het alsof hij dat speciaal voor haar zei.

De muisachtige vrouw vertrok niet langer elke ochtend; ze kwam en ging nu de hele dag door, en haar auto stond op

een parkeerplek voor gasten die nu, zag Janet, in plaats van
het bordje GASTEN een nummer had gekregen. Toen de lente overging in de zomer en de jassen thuis werden gelaten,
ontdekte Janet tot haar geluk dat de vrouw dik was geworden. Janet wist zeker dat Dave haar nu zou dumpen, tot ze
besefte dat de vrouw niet dik was maar zwanger.

Op de laatste dag van de zomer bespeurde Janet rook, toen
ze in haar achtertuin zonnebaadde. Ze ging staan, snoof
en rekte zich uit en zag Dave op en neer lopen in zijn tuin,
terwijl hij verwoed aan een sigaret zoog. Ze trippelde naar
het tuinhek en ging op haar tenen op de onderste dwarsbalk
staan, zodat haar borstkas zichtbaar was en ze achteloos haar
armen op het hek kon leggen.

'Ik wist niet dat je rookte,' riep ze. Dave schrok alsof hij
met een gloeiende pook werd gestoken. Hij keek naar haar,
en toen beschaamd naar de sigaret.

'Doe ik ook niet.'

Janet trok nonchalant aan de bandjes van haar bikinitopje
en schudde met haar borsten. Hij zag het niet. 'Waarom heb
je dan een sigaret?'

'Janet,' zei hij, op de toon van: niet nu.

Wel nu, dacht ze en ze voelde een tinteling. Ze wachtte
even. 'Ik heb de tijd, hoor.'

Hij schudde zijn hoofd. 'Het is gênant.'

Ze glimlachte. 'Gênant gaat me altijd goed af.'

Hij staarde haar eerst achterdochtig aan, toen bedeesd.
Hij zuchtte. 'Mijn vrouw is zó zwanger. Het lukt niet meer.
Je weet wel.'

Vrouw? Wanneer was dat gebeurd? Janet kromp ineen,
maar wist zich snel te herstellen.

Ze snoof afkeurend. 'O, maar dan probeer je het niet echt. Wees maar wat creatiever.'

'Nee,' zei hij scherp, en daarna vlakjes: 'Ik probeer het wel. Probeer het echt. Maar het wil gewoon niet meer.'

Janet knikte. Hier kon ze wel iets mee. Ze stelde zich voor hoe zijn vrouw, dat kleine, rare vrouwtje, futloos op bed lag, met een buik die omhoogstak als een heuvel op een prairie. Janet werd er onpasselijk van. Zij zou die vrouw ook niet willen. Ze stelde zich Dave voor in de hoek van de slaapkamer, hevig trekkend maar nog steeds slap, terwijl hij de heuvel met walging bekeek. 'Misschien kan ik je helpen.'

'Helpen?' snauwde hij, en toen, alsof haar geur door de wind naar hem toe was gedreven, zag hij haar opeens: haar bikini, haar glanzende huid, haar haar, doelbewust slordig opgestoken, de zonnebril die haar anonimiteit versterkte. Ze kon iedere vrouw zijn die hij maar wenste. En dat kon ze nu meteen zijn. Hij liep naar zijn kant van het hek en ging op de dwarsbalk staan, zodat hun gezichten op gelijke hoogte kwamen. Zijn ogen werden vochtig. Janet duwde haar borsten omhoog.

Hij zei: 'O.'

Een paar minuten later was Dave er. Schaapachtig hield hij zijn zomerse honkbalpetje voor zijn buik, onweerstaanbaar doorsnee. Janet lag al op haar bed, leunde op haar ellebogen en bladerde door een tijdschrift. De sprei plakte aan haar huid, vet van de zonnebrandolie. Ze zwaaide heen en weer met haar voeten, rolde op haar zij en stak haar heup verleidelijk omhoog.

'Vind je het niet erg?' vroeg hij sloom.

'Erg?'

Ze dacht dat hij eeuwig in de deuropening zou blijven staan, terwijl hij keek hoe ze heen en weer rolde op haar bed. Verveling schoot door haar aderen. Ze rekte zich uit, kromde haar rug en haar borsten gleden uit hun kleine biki-nihuisjes. 'Kom hier,' beval ze.

Halverwege de eerste keer jankte hij dankbaar, iets wat haar misselijk maakte. Misselijkmakend, om een man bo-ven op haar te hebben die niet schreeuwde of smerige praat uitsloeg, en ook misselijkmakend om te beseffen dat Dave Santana iets kon doen waardoor hij het voor altijd voor haar verpestte. Hij leek verloren. Ze haatte verloren.

'Zeg je naam.'

'Huh?' gromde hij en hij begon langzamer te pompen.

'Zeg je naam.'

Hij kwam iets omhoog, zodat hij haar aan kon kijken. 'Dave?'

'Zeg je hele naam,' riep ze en ze rukte aan zijn heupen om hem weer op gang te krijgen.

'Dave Santana,' zei hij aarzelend.

'Nee, Dave. Zeg je hele naam. Zeg: "Ik ben meteoroloog Dave Santana",' smeekte ze en ze zoog aan zijn lip.

Verward en verbijsterd zei hij het zachtjes. Toen zei hij het nog eens. En de derde keer schalde zijn stem en rukte hij haar heupen omhoog en pompte dieper in haar, met elk woord dat hij schreeuwde. 'Ik ben meteoroloog Dave San-tana!' 'Ik ben meteoroloog Dave Santana!' 'Ik ben meteoro-loog Dave Santana!' Hij kwam hard en gespannen klaar, als een buschauffeur die uit volle macht op de rem trapt. Janet bleef hangen in haar genot, midden in al dat verrukkelijke tumult. Gelukzalig herhaalde ze in haar hoofd: jij past bij mij, jij bent aan mij gewaagd.

Na de zesde keer bleef Janet rauw, afgemat en extatisch liggen. 'Is het altijd zo met jou?' vroeg ze en ze genoot van alle gezamenlijke nattigheid.

'Ha! Echt niet! Nooit eerder,' zei hij, nog altijd hijgend. 'Dit ventje is kennelijk heel dol op jou.' Hij pakte zijn uitgeputte penis tussen duim en middelvinger en zwaaide hem heen en weer.

Janet giechelde voor de vorm, hoewel ze er een hekel aan had als mannen over hun pik praatten alsof het een persoon was.

'Nee, meestal is het anders,' ging hij dromerig verder, uitgestrekt op het bed. 'Omdat we van elkaar houden.' Snel voegde hij eraan toe: 'Mijn vrouw en ik.'

'Uiteraard.' Janet voelde zich in verlegenheid gebracht, iets ongewoons voor haar. Ik wéét dat je niet mij bedoelt, dacht ze verbolgen.

Hij pakte haar hand alsof ze kinderen waren die op het punt stonden naar de overkant van een veld te rennen en kneep er even in. 'Je bent leuk, Janet.' Hij glimlachte flauwtjes; het leek flirterig en uitdagend, en deed haar adem versnellen.

'Vertel me iets wat ik nog niet weet,' zei ze uitdagend. Ze meende het. Ze wilde iets echts horen, iets wat alleen hij zou kunnen zeggen. Zelfs als het iets flauws was, zoals hoe ze smaakte. Zelfs als het in feite over hem ging, zoals hoe het voelde om haar te neuken.

Zijn flauwe glimlachje verdween, toen fronste hij en dacht na. Ze hoorde het gedempte getik van zijn horloge, onder de wirwar van lakens.

Uiteindelijk kuchte hij deemoedig. 'Ik moet gaan.' Zijn stem besmeurd met spijt. 'Meredith komt zo thuis van pufles.'

Ze heet Meredith, dacht Janet. Ze deed alsof ze moest

gapen om de wond, die ze in haarzelf voelde openscheuren, te verhullen. 'Wip gauw maar weer eens langs,' zong ze bestudeerd; uitnodigend, maar toch nonchalant.

'Ik denk dat ik het hiermee wel red. Net als een dosis medicijnen, je weet wel?'

'Het waren zes doseringen,' zei ze plagerig, maar ze voelde zich leeg.

Hij grinnikte bereidwillig, maar kleedde zich verder in stilte aan.

De laagstaande zon scheen oranje door het raam. De hele kamer raakte er tot aan de rand mee gevuld.

Dave liep naar het bed. 'Bedankt,' zei hij en hij stak zijn hand uit, zodat zij hem kon schudden. Janet staarde ernaar tot hij hem terugtrok en afveegde aan zijn broekspijp.

'Janet.' Hij klonk teleurgesteld, alsof hij vond dat zij het nu verpestte. Hij wist nu niet meer hoe hij weg moest gaan.

Uit gewoonte nam ze een verleidelijke pose aan op haar bed, maar ook zij wist niet hoe ze zich moest voelen.

'Nou, ik ben altijd hier,' zei ze.

'Dat weet ik. Je bent altijd hier.' Hij zuchtte. 'Je bent moeilijk te negeren.'

Die opmerking zou ze leuk hebben gevonden, maar uit zijn mond klonk ze als een beschuldiging, alsof het op de een of andere manier niet eerlijk was dat zij haar hardnekkige verlangen tentoonspreidde. Ze wás er ook altijd. Ze had gedacht dat Dave een dergelijke aandacht maar moeilijk zou kunnen negeren, ongeacht met wie hij was. En ze had gelijk gekregen. Het is niet gemakkelijk als er op je wordt gejaagd. Dat was het hele punt. Als alles goed gaat, maakt de nieuwsgierigheid plaats voor verlangen, en daarna komt de behoefte vanzelf. Dat waren de stappen in de verleidingskunst die zij beheerste. Het was niet de bedoeling dat hij wist waarom hij naar haar toe kwam, dat hij de logica erachter kon doorzien, zijn opties kon afwegen, dat hij zelfs maar een mening zou hebben. Hij moest gewoon komen. Maar ze zag dat hij besloot dat hij een fout had gemaakt. Hij voelde zich beetgenomen. Ze voelde zich als een goochelaar die zijn act had verprutst. Het publiek had het trucje, de manipulatie, doorzien en zou het voortaan nooit meer anders kunnen zien.

Ze rolde op haar rug en duwde haar borsten naar het midden van haar borstkas, om ze daarna weer naar beneden, naar haar oksels te laten vallen. Het was de minst sexy handeling die ze ooit in het bijzijn van een man had vertoond. Dave Santana wendde zijn ogen af.

Sinds haar broer Jon en zijn vrouw Gloria hun eerste kind hadden gekregen, stonden ze erop dat Janet eens per maand langskwam voor een zondagsbrunch. 'Ik wil een normaal gezin,' zei Jon. Janet had langzaamaan een hekel aan haar broer gekregen. Ze vond Gloria overdreven huisvrouwelijk. Hun samenzijn leek een toevalligheid, net als de baby. Alsof ze tegelijkertijd uit de collegebanken waren opgestegen en snel hun vingers hadden verstrengeld om samen verder te zweven. Hoe konden ze denken dat dit de moeite waard was? Waar was de hartstocht, de smart, het machtsspel? Had Jon dan niets van haar geleerd?

'Wanneer vind jij nu eens iemand?' vroeg haar broer na tien minuten. Ze had een hekel aan die vraag, en hij stelde hem altijd.

'Dat weet ik niet, Jon. Wanneer vind jíj eens iemand?' beet ze hem toe en ze keek woedend naar Gloria, die thee inschonk. Gloria keek even verward, deed haar mond open alsof ze wilde zeggen: hij heeft iemand gevonden – mij, maar begreep toen dat het vals was bedoeld. Met grote ogen trok ze zich terug in de keuken en vroeg Jon om haar even te helpen. Hij sprong op en hield de baby uitgestoken voor Janet. Ze maakte geen aanstalten om haar gekruiste armen te bewegen.

'Kom op. Ga nou niet zeggen dat je hem niet wilt vasthouden.' Hij liet zijn armen verslappen en de baby leek in een vrije val te raken, die abrupt stopte ter hoogte van Jons knieën. Janet kromp ineen, bang dat hij het hoofdje van de baby op de marmeren salontafel zou laten vallen. 'Waarom wil je je niet settelen?' vroeg hij; een ander onderwerp, maar hij deed alsof het nog steeds om hetzelfde ging.

Janet zei: 'Ik ben gesetteld.'

'O?' Jon ging weer zitten. 'Is er iemand in je leven?'

'Ja. De meteoroloog.'

'Janet.' Jon rolde met zijn ogen. 'Hij denkt waarschijnlijk dat je een groupie bent.'

'En bedankt.'

'Je weet toch hoe je kunt zijn?'

'Het is maar dat je het weet,' zei Janet, 'maar we hebben elkaar de laatste tijd heel vaak gezien.' Dat was niet per definitie onwaar. Voor haar vóélde het zo, hoewel drie nachten in een paar jaar voor iemand anders niet hetzelfde zou betekenen. Hoe hun laatste ontmoeting ook was geëindigd, ze miste hem toch. Ze wilde dat hij bij haar zou aankloppen en voelde zich terneergeslagen dat hij dat niet had gedaan. Ze hield ervan om tegenover haar broer te doen alsof hij dit wel had gedaan.

Janet verzon wat details en diste die op als roddels. Hoe meer ze vertelde, hoe meer haar broer haar geloofde. Dave nam haar mee naar chique restaurants; mensen vroegen hem om zijn handtekening en hij voldeed daar beleefd aan. Hij vertelde haar geheimen via zijn weerberichten, 'Als hij bijvoorbeeld "windstoten" zegt, dan bedoelt hij dat hij van me houdt.'

'Wauw,' zei Jon, werkelijk onder de indruk.

Ze voelde zich geïnspireerd. 'Hij zei dat ik de vrouw ben op wie hij heeft gewacht. En geloof 't of niet – we zijn nog buren ook. Hij woonde gewoon naast me, de hele tijd. Net zoals in dat liedje.'

Gloria riep nog altijd vanuit de keuken dat Jon moest komen, maar hij bleef bij Janet, verrukt. 'Ik wíst dat je het in je had,' zei hij, met glanzende ogen. Hij raakte Janets arm aan.

Ze stond net op het punt zich af te vragen: waarom is hij zo blij voor me? Ze was dit gevecht immers aan het winnen – ze zei wat dan ook om te bewijzen dat hij ernaast zat, als het om haar leven ging, om haar vermogen om liefde te vinden. Maar toen hij haar aanraakte knakte er iets in haar, alsof zijn emotie of geloof in haar voer. En ze begon het zelf te geloven. Te geloven in de mogelijkheid. Misschien wás het mogelijk. Misschien kréég ze het voor elkaar.

Uiteindelijk kwam Gloria uit de keuken met haar handen in haar zij en ze blafte: 'Ben je verdomme doof of zo? Kom verdomme hierheen.' Jon sprong op en liet de baby op Janets schoot vallen. En Janet, evenzeer verbijsterd over Gloria's uitbarsting, iets waartoe zij haar nooit in staat had geacht, sloot de warme, kronkelende massa automatisch in haar armen, alsof het een tweede natuur was. Zijn hoofdje rook naar oud meubilair, dat niemand wilde. 'Wat is het nut van jou nu helemaal?' vroeg ze terwijl ze hem strak aankeek. Hij wiegde zijn hoofd heen en weer, alsof hij in extase was.

De rottende bladeren aan de voorkant van Daves huis waren nat van de tuinsproeier. Herfstafval plakte onder haar slippers. Ze had Dave nog steeds niet gezien, hoewel ze naar hem op zoek was geweest. Als ze hem wilde intrigeren, moest ze proactiever te werk gaan. Ze bedacht een openingszin: 'Je zei dat ik niet bang voor het weer hoefde te zijn, maar waarom gaat alles dan dóód?' Ze had ook een maatbeker bij zich, voor het geval zijn vrouw thuis was. Dat deden buren immers nog steeds, of niet soms? Niet dat het haar iets kon schelen, maar ze was het zo zat dat mensen haar achterdochtig bekeken. Ze had op school alweer een onderscheiding in de wacht gesleept en de andere docenten klaagden dat ze vals speelde. Alsjeblíéft, dacht ze. Ze had wel iets beters te doen dan frauderen met de resultaten van de schoolverkiezingen. Ik had graag gezien dat ze mij die memo hadden gestuurd, waarin ze vragen of we niet langer willen proberen een verschil te maken, had ze tijdens de les seksuele voorlichting tegen de meisjes gezegd. Ze applaudisseerden en toen ze vroeg of ze volgend jaar niet meer op haar wilden stemmen, weigerden ze dat. Ze bewonderde hun overtuiging.

Een ficus stortte water op Janet, toen ze erlangs streek om naar binnen te kunnen kijken. De jaloezieën zaten dicht, dus kon ze niets zien. Misschien was zijn vrouw nog steeds zwanger. Hoe lang duurde dat al? Het leek maar een week geleden. Ze kon hem nog proeven, zout als de zee. Misschien zou zijn vrouw het wel goedvinden, dagdroomde ze – zou ze gebaren dat Janet haar naar binnen moest volgen en zeggen: 'Alsjeblieft, neem jij hem maar. Ik word doodziek van hem', waarop ze de deur van de badkamer zou opendoen en hem zou onthullen, nat en grommend, rukkend boven de wc. Hij zou Janet zien en uitroepen: 'Godzijdank, je bent gekomen!' Dan zou Janet hem meenemen naar haar huis en dan zou hij haar meteen volspuiten, en misschien konden ze daarna nog wat praten. Hij zou beseffen dat zij een betere vrouw voor hem was, want ze wist zijn problemen altijd op te lossen. Misschien ging hij wel nooit meer terug. Misschien bleef hij wel bij haar en ging hij af en toe op bezoek bij zijn baby. Dat was wel heel eenvoudig, bedacht ze, aangezien de moeder naast haar woonde.

Ze klopte aan, maatbeker in de aanslag, en wachtte. Ze klopte nog eens op de deur. Zo laat was het niet. Waren ze weg? Zijn auto stond er niet. Die van haar ook niet? Ze draaide aan de deurknop en de deur ging open.

De woonkamer was leeg, afgezien van een telefoon met een draaischijf, die eenzaam midden op een afgrijselijk mauve tapijt was achtergebleven; het snoer kronkelde zich naar de muur. Elke deur die ze opendeed gaf een kamer prijs, beroofd van elk restant van hem. De geur van eten, zweet, zijn aftershave hing aan de oppervlakken. De bries die door de voordeur naar binnen waaide vermengde alle geuren.

Op het aanrecht vond ze een makelaarsbrochure, hoewel het al duidelijk was dat Dave was verhuisd. In het geniep verhuisd, dacht Janet verbaasd, terwijl ze zich zowel boos als geïntrigeerd voelde. Zodat zij het niet zou weten. Omdat hij haar niet onder ogen durfde te komen? Omdat hij zich schaamde? Omdat hij haar niet wilde kwetsen? Omdat hij haar wilde kwetsen? Al deze mogelijkheden wonden haar op.

In het kantoor van de complexbeheerder keek de medewerker naar haar doorweekte slippers toen ze hem ernaar vroeg.

'Ze zijn een paar weken geleden verhuisd. Was u niet op het feest?' vroeg hij onschuldig. Ze voelde meteen dat deze vent, Jeremy volgens zijn naamkaartje, een hekel aan haar had.

'Welk feest?'

'Hun afscheidsfeest. Twee weken geleden, misschien? In hun tuin.'

Ze was waarschijnlijk bij haar broer geweest. 'Die klootzak,' mompelde ze, waarmee ze beide mannen bedoelde, en ze scheurde een flyer van een door de beheerder goedgekeurde tuinier in rafelige stukken.

Jeremy's ogen vernauwden zich. 'Woont u hier?' vroeg hij, alsof het ondenkbaar was dat ze niet van het feest had geweten, laat staan dat ze er niet was geweest, als dat wel het geval was.

'Ja, ik woon hier,' snauwde ze. 'Ik woon hier al vanaf het begin. Nog voordat jij er was.'

Hij bladerde achteloos door een map. 'Nou, ze hebben een schattig meisje. Ze had een prachtige gouden krul op haar voorhoofd. Perfectie. Als een babyfoto. Maar het was een echte baby.'

Ze smeet haar sleutels op de balie. 'Ik zet mijn huis ook te koop,' zei ze. Ze probeerde nonchalant te klinken, wat haar niet lukte.

'O?' Hij keek monter, alsof hij blij was.

'Weet je, ik ben hier eerder geweest.'

'Ja,' zei hij en hij knikte glimlachend. 'Dat weet ik nog.' Zijn glimlach was gelijkmatig, als een vlek. 'Dan weet u ook dat u een makelaar van de associatie in de arm kunt nemen, of zelf een makelaar kunt zoeken.' Hij schoof wat folders naar haar toe. 'Kopers moeten zich eerst hier melden. Geen bordjes achter de ramen of in het gazon. Dat ziet er niet uit. Het wordt beboet.' Dus Dave was niet zozeer stiekem geweest, hij had gewoon de regels gevolgd. Hij was niet voor haar weggevlucht; hij was gewoon naar een nieuw huis vertrokken, was een nieuw leven begonnen en had er niet aan gedacht het haar te vertellen. Op een prikbord achter Jeremy hingen vier flyers, met daarop vier vrijwel identieke huizen. Ze herkende Daves huis aan de windvaan die hij op het dak had geplaatst. Ze had het eerder zo charmant gevonden; nu zag het er idioot uit. Ze dacht aan die lege ruimte met het mauve tapijt.

'Ik heb al mijn tapijt eruit gerukt en echt houten vloeren laten leggen, dus ik denk dat ik mijn huis wel snel zal verkopen. Een stuk sneller dan die prutshutjes,' zei ze, terwijl ze naar het bord gebaarde.

'Dat denk ik ook,' zei Jeremy, die haar rustig maar alert aankeek, alsof zij een vreemde hond was, die hij in een bos was tegengekomen. 'Houten vloeren zijn op dit moment erg tijdloos.'

'We gingen met elkaar naar bed.' Het schoot eruit als een kip, glad van het vet.

'Pardon?'

'Dave en ik. Voordat hij trouwde. Nadat hij getrouwd was. Terwijl zij zwanger was.' Ze glimlachte. 'We waren geliefden. Meerdere keren. Meerdere orgasmes, bedoel ik.' Ze wachtte even. Wat bedoelde ze eigenlijk? 'Ik bedoel, ik ken hem. Ík ken hem.'

Ze stopte. Ze hoefde haar zaak niet te bepleiten tegenover Jeremy.

'Ik geloof u.' Hij zuchtte. 'Laat u iemand van het kantoor weten wat u besluit?' Hij draaide zich om. 'En u kunt maar beter schoenen aantrekken,' ging hij verder, terwijl hij achter een gordijn verdween. 'Het is al bijna winter.'

Er trok een ander gezin in Daves huis. Janet zag stroken oud tapijt in de vuilcontainer en bedacht dat ze hardhouten vloeren hadden laten leggen. Ze besloot dat Dave geen smaak had en voegde dat toe aan de steeds langer wordende lijst van zijn tekortkomingen. Ze bekeek de man van achter haar tuinhek, terwijl hij paaltjes sloeg om de perkjes voor het voorjaar af te bakenen. Ze dacht erover hem te verleiden, maar hij was mollig en erger nog, hij zat duidelijk bij zijn vrouw onder de plak. Janet stelde zich voor hoe hij, amper stijf en met een stomme grijns op zijn gezicht, naast haar bed zou staan.

Ze zette haar huis niet te koop.

Ze bleef wel naar Daves weerberichten kijken, het vriendelijke gezoem van haar vibrator vermengde zich met zijn stem vol expertise. Hij was wat giechelachtiger geworden, iets wat haar eerst in verwarring bracht, totdat ze besefte dat het gepaard ging met een glimlach, een echte, niet nep en altijd aanwezig. Dit was blije Dave. Ze haatte het hem zo te zien; ze wilde het liefst huilen. Ze masturbeerde vol woede.

En toen, op een dag vroeg in het voorjaar – de grond was nog steeds bevroren en om vijf uur was het al helemaal donker – werd het weerbericht gepresenteerd door een blondje in een strak kokerrokje en met een uitpuilend decolleté. Janet at een doos koekjes leeg en zat in haar bh en een joggingbroek voor de televisie, de vibrator gebruiksklaar onder het elastiek gestopt.

Janet vond de uitzending verwarrend. Het blondje had niet gezegd: 'Ik val in voor meteoroloog Dave Santana.' Ze noemde zichzelf de weervrouw. Janet probeerde het, maar ze kon niet klaarkomen op die hoge stem, of bij een geur die ze zich moest voorstellen in plaats van herinneren.

De volgende ochtend repte de krant van een reorganisatie bij de zender. De enige mensen die naar het weerbericht keken, waren de vissers en die zagen het liefst een weervrouw.

En zo was meteoroloog Dave Santana zomaar opeens verdwenen.

Janet ontmoette geen bijzondere mannen dat jaar. Degenen die naast haar wakker werden, bekenden maar al te graag een of andere tekortkoming, alsof kwetsbaarheid de nieuwe trend was. Ze had vooral een hekel aan de angsten: 'Ik ben bang dat ik nooit iemand zal vinden die van mij houdt zoals ik echt ben,' zei een tuinarchitect, die gitaar speelde in een lokaal seventies-coverbandje. Dat denk ik ook niet, dacht Janet terwijl hij zich aan haar vastklampte. Toegegeven, ook zij was zachter geworden, en meestal zweeg ze of zuchtte ze nadrukkelijk, als ze zich al aan een reactie waagde. Ze zuchtte veel in de periode na Dave.

Erger was dat ze Meredith Santana overal dacht te zien. Tankend bij een benzinepomp, met een baby in een kinderzitje. In de supermarkt, met de baby op haar rug. In de bar waar Janet bereidwillige mannen oppikte, een baby wippend op haar knie terwijl ze flirtte vanuit een versleten zitje. Glurend op de achtergrond, in seksfilms die Janet bekeek. De vrouw was als een spook, met een spookkind. Janet kon zich niet eens herinneren hoe Meredith er precies uitzag. Ze kon zich alleen de zwangere Meredith voor de geest halen en dus kon ze zich niet herinneren, of had ze zelfs nooit geweten, of Meredith van nature zo slank was als zij.

Toen Meredith Santana de docentenkamer binnenkwam om de schoolzuster te vervangen die met zwangerschapsverlof ging, kon Janet amper nog verbazing opbrengen.

Meredith leek in niets op wat Janet zich herinnerde. Ze was prachtig. Ze droeg haar glanzend bruine haar in een stijlvolle boblijn; ze was atletisch en duidelijk slank van nature. Haar schoonheid was niet tijdelijk; ze zou altijd blikken weten te vangen. Janet kon bijna niet geloven dat het dezelfde vrouw was die ze een paar jaar geleden had zien wegsluipen 's ochtends. Misschien was ze veranderd door de kracht van Daves liefde. Toen Meredith haar een hand gaf, hield Janet die ongepast lang vast en gaf toen een kneepje in Merediths arm, om te zien of ze echt was. Meredith trok haar hand snel terug, keek Janet aan, maar lachte toen. Dit meisje was gemakkelijk in de omgang, paste tussen alle mensen en voelde zich snel thuis.

Janet meed Meredith na die eerste ontmoeting. Maar als ze zich tegelijkertijd in de docentenkamer bevonden, kon Janet niet om haar heen. Ze speurde naar Merediths stem tussen alle andere stemmen, en of haar naam viel in het geroddel. Ze betrapte zichzelf erop dat ze voor het kantoor van de schoolzuster rondhing. Ze parkeerde haar auto twee plekken voorbij die van Meredith, zodat ze er twee keer per dag langs kon lopen. Ze koos voor pasta omdat Meredith pasta koos; evenals het gehaktbrood, de pizza, ham in haar salade. In de kleine, vuilgele fitnessruimte van de school keek Janet hoe Meredith op de StairMaster oefende, staarde gebiologeerd naar de verschuivende appels van haar kont, met haar mond schandalig wijd open.

Op een dag liep Meredith Janets lokaal binnen toen de leerlingen ergens anders huiswerk maakten en ze gleed in het voorste bankje, waar meestal haar slechtste leerling zat, de stille fluitist.

'Het lijkt alsof je mij overal volgt,' zei Meredith, sereen als een kat.

Wat een lef, dacht Janet. Ze had moeite iets uit te brengen. Ze kon haar mond alleen open- en dichtdoen, zonder geluid. 'Dat doe ik niet,' zei ze hees.

'Luister,' ging Meredith vriendelijk maar beslist verder, 'ik heb alleen wat dingen gehoord, dus neem het me niet kwalijk als ik je beledig. Ik ben namelijk getrouwd.' Ze voegde daaraan toe: 'Met een man.'

Janet zou gelachen hebben, als ze niet bijna in snikken was uitgebarsten. Ze kon niet uitleggen dat haar obsessie voor Meredith voortkwam uit de behoefte te weten wie Dave nu werkelijk begeerde, en waarom zij niet diegene was. Er moest een aanwijzing te vinden zijn.

Janet herpakte zich enigszins. 'Ik weet dat je getrouwd bent. Ik kén hem.'

'O?' zei Meredith opgewekt, terwijl ze rechtop ging zitten in haar stoel. 'Hoe ken jij Dave?'

Janet maakte zich op om een scène te trappen, maar de uitnodigende glimlach van Meredith weerhield haar daarvan. *Ze zou achterdochtig moeten zijn. Ze zou mij als een bedreiging moeten zien.* Janet voelde zich machteloos. Ze hapte naar adem. Ze kon het niet. En ze kon niet geloven dat ze het niet kon.

Meredith hielp haar op weg. 'Hij was weerman – daarvan ken je hem.'

'Je bedoelt 'meteoroloog',' zei Janet, in een poging haar een reprimande te geven. Zelf zou ze die fout nooit hebben gemaakt.

'O ja, stom van mij. Hij was meteoroloog.' Ze lachte het vlotjes weg. 'Tegenwoordig geeft hij motivatietrainingen.' Ze straalde, alsof ze zich er niet van bewust was dat de docenten eindeloos praatten over haar man, een lokale beroemdheid. Ze was zich er wellicht ook niet van bewust. Ze was zo'n gezegend iemand die liefde, geluk, een gezin, zekerheid, zelfvertrouwen en schoonheid in de schoot geworpen had gekregen. Ze had waarschijnlijk altijd te horen gekregen dat ze dat allemaal mocht verwachten.

'Ik heb hem weleens motiverend meegemaakt,' orakelde Janet zachtjes tegen zichzelf. Dat was het enige wat ze kon opbrengen. Ze wilde opgekruld onder haar bureau gaan liggen.

Toen leunde Meredith samenzweerderig voorover en zei: 'Ik weet dat hij geen filmster is, maar hij had zeker fans. Vrouwen die hem brieven schreven. Hem buiten opwachtten. En hij had ooit een buurvrouw. Hij zei... o, nee, dat kan ik echt niet vertellen,' zei ze en ze barstte in gegiechel uit.

Hij had Meredith iets over haar verteld. Maar hoeveel? Niet alles, want ze waren nog altijd samen. Toch? Hij kon niet alles hebben verteld, want ze lachte. Toch? Wat bespraken getrouwde mensen allemaal met elkaar?

Meredith wuifde het weg. 'Maar ik snap het wel. Ik heb hem ook gestalkt!' Ze knikte geestdriftig, haar ogen wijd opengesperd, klaar voor meidenroddels. 'Echt waar!' gierde ze. 'Ik heb geregeld dat ik werd uitgenodigd voor een feestje waar hij ook was. Ik gaf hem geen kans om andere vrouwen aan te spreken. O, wat heb ik lopen flirten! Ik was echt scháámteloos,' ging ze verder. 'Die ógen!' En nu waren ze getrouwd en hadden ze een prachtig dochtertje. 'En,' zei ze, terwijl ze op haar platte buik klopte, 'nog eentje op komst.'

Ze legde haar vinger op haar lippen. 'Ssst. Is nog geheim.'

Janet was verbijsterd. Obsessief gedrag leidde wel degelijk tot resultaat. Alleen niet voor haar. Meredith was de goede goochelaar. Zij had het verpest. 'Ik achtervolg je niet,' loog ze stuurs.

Meredith wuifde het weg. 'Nou poeh, ik weet ook niet waarom ik dat dacht. Ik heb me te veel aangetrokken van dat stomme geroddel in de docentenkamer.'

Wat had ze gehoord? Kon van alles zijn. Janet kromp ineen. Sinds wanneer kon haar dat iets schelen?

'Weet je,' zei Meredith, 'die docenten hier, die zijn zo preuts. Ik zou dat verhaal nooit kunnen vertellen. Maar ik denk dat wij op één lijn zitten.' Ze glimlachte zo oprecht naar Janet, zo open en met de lichte opwinding die je voelt als je iemand leert kennen die net als jij is. 'We zouden eens iets moeten doen samen.'

Janet stond op en begon de spullen op haar bureau te herschikken, als een wervelwindje legde zij ze op hun plek. Ze zou met Meredith Santana mee naar huis moeten gaan, zichzelf op de bank moeten nestelen met een glas wijn, met haar lachen als goede vriendinnen en wachten tot Dave binnenkwam. Ze zou op hem aflopen, zijn verbaasde hand schudden en zeggen: 'Ik vond het geweldig je aan het werk te zien,' of: 'Ik heb nog steeds behoefte aan een meteoroloog,' en dan net doen alsof ze gewoon een brutale kijker was, Meredith een knipoog geven, haar aan het lachen maken, haar aan haar zijde krijgen. Ze kon zorgen dat Meredith gek op haar werd, zodat Dave eraan kapotging. Ze wist dat ze dat kon. Haar gedachten schreeuwden: Doe het! Maak het allemaal kapot! Ze proefde gal. 'Ik ben al laat,' sputterde ze en ze gooide ze een nietmachine in haar tas.

Meredith keek naar de klok in het lokaal. Het volgende lesuur begon pas over een halfuur. 'Waarvoor?'

Janet schudde haar hoofd. 'Ik ben gewoon te laat.' Ze ging weg.

In haar auto, geparkeerd voor haar huis, gaf ze zichzelf een schrobbering. Ze had een mooie kans laten glippen. Sinds wanneer maakte wat zij wilde geen deel meer uit van haar plannen? Ze liet haar tranen de vrije loop. Ze was gezwicht voor de gevoeligheid en de zwakheid van de huidige tijd, waarin de mogelijkheden dood en begraven waren en er allerlei dingen waren *die je gewoon niet deed.*

Hoewel ze wist dat Meredith een vervanger was die hoogstwaarschijnlijk na de zomer niet terug zou komen, regelde Janet een baan op een school in een naburig stadje. Met haar onderscheidingen wist ze met gemak een positie te krijgen. Haar meisjesleerlingen huilden. Sommigen overwogen ook naar de andere school te gaan, maar ze zei: 'Blijf hier, doe je best, raak niet zwanger. Doe het voor mij.' De leraren in de docentenkamer bestookten haar met vragen, alsof ze zich werkelijk zorgen maakten. Gaat alles wel goed? Is er iets met je familie aan de hand? Verberg je een geheim? Ze glimlachte alleen maar en zei, als een laatste belediging, dat ze iets beters wilde voor zichzelf. Toch boden ze haar koekjes aan, gretiger dan ooit tevoren. Meredith, die van niets wist, wenste haar oprecht veel geluk, haar hand afwezig voor haar buik, om de groeiende Santana daarbinnen te beschermen.

Op haar nieuwe school werkte Janet alle vrijgezelle mannen af, en sommige getrouwde, om uiteindelijk bij een goedgebouwde gymleraar te blijven, die geen idee had dat hij wel beter kon krijgen. Hij vond haar grijze haren, die hier en daar de kop opstaken, geen probleem. Haar borsten waren niet meer zo pront als vroeger, maar hij vond haar nog steeds sexy als ze schrijlings op en neer wipte op hem en dit had ook een effect op haar; het vervulde haar met een afgrijselijk gevoel van dankbaarheid. De gymleraar was een degelijke minnaar en ze paste zich geleidelijk aan, tot ze op zijn niveau was. De seks varieerde tussen oké en goed, eerder teder dan wild en angstaanjagend. Het was niet zoals met Dave Santana, maar dat had ze al geweten tijdens die al te vluchtige ontmoetingen. Ze was op haar best met elektriserende mannen.

De gymleraar en Janet kregen iets verrassend monogaams, hoewel ze geen van beiden trouwden. Uiteindelijk vergaten ze waarom ze hun relatie voor de school verborgen wilden houden en ze spraken af om samen te lunchen. Ze sliepen 's nachts bij elkaar, beiden stopten ze hun spullen in een lade die de ander had uitgeruimd. Ze ontmoette zijn tante. Ze had nooit eerder de tante van een geliefde ontmoet. Af en toe reden ze samen naar school. Maar geen van beiden wilde meer. Janet vreesde dat gesprek, maar vroeg zich niettemin af waarom ze het nooit hadden gevoerd.

In het restaurant gilde een klein meisje tegen een man, doodsbenauwd, zoals kinderen soms zijn; grote tranen bij kleine problemen. Janet sloeg vol dramatiek haar handen voor haar oren en wierp hun een woedende blik toe. Maar toen, de hangende schouders, de gedrongen nek, de beige huidtint; ze wist dat het Dave was, zonder ook maar zijn gezicht te hebben gezien. En als er nog twijfels waren: zijn gelijkenis ontsierde het vlasblonde meisje met haar lange, krullende vlechtjes; achter die ziedende driftbui lag dezelfde kleurloosheid. Janet werd onpasselijk.

Ze gleed uit haar zitje en sloop schuchter naar hem en zijn dochter toe.

Het meisje bekeek haar achterdochtig, toen Janet haar vinger over Daves rug liet glijden en speels zei: 'Ik kén jou.'

Zijn rug kromde zich instinctief weg van haar vinger. Hij draaide zich om en vroeg zich heel even – ze zag het in zijn ogen – af wie ze was.

'Het komt door mijn haar,' zei ze en ze duwde zenuwachtig haar nu kortere boblijn omhoog. De ogen van het meisje schoten van Janet naar Dave en weer terug; ze vernauwden zich tot spleetjes. Ook Daves ogen vernauwden zich bij de herinnering.

'Janet.' Hij trok zijn windjack recht. 'Nou?' zei hij kortaf.

'Ik mis je op tv, Dave,' gromde ze. Door zijn zachtaardigheid voelde ze zich een roofdier. Ze wilde op haar knieën zakken en hem tussen alle mensen in het restaurant afzuigen.

'Nou, zoals je weet ben ik al een hele tijd niet meer op tv, Janet.' Door haar omgang met de gymleraar was ze gewend geraakt aan mannelijke vormen, die Dave nooit had gehad. Maar hij was beter in vorm dan de laatste keer dat ze hem had gezien, hij leek wat ruiger – had hij nou een kleurtje? – en meer klaar om alles aan te pakken.

'Je ziet er goed uit, Dave,' zei ze flirterig en ze wachtte tot hij iets soortgelijks zou zeggen. Dat deed hij niet.

'Weet je, Dave, ik mis je niet alleen op tv.'

Hij boog zich voorover en frummelde aan het rugzakje van zijn dochter. Ze wurmde zich los.

Janet gooide het over een andere boeg. 'Weet je, Dave, dat ik je vrouw een paar jaar geleden ben tegengekomen?'

'Nee, dat ben je niet,' zei hij en hij keek haar woedend

aan. Hij wist zeker dat hij zijn werelden strikt gescheiden had gehouden.

Ze had het altijd fijn gevonden om iemands geheim te zijn, maar het was duidelijk dat gekend zijn je meer macht gaf. 'Wel. Ik heb haar ontmoet. Ze was verpleegster op mijn school.'

Zijn gezicht verstrakte met een lelijke ongerustheid. Een gezicht, besefte ze, dat hij vaker trok: als hij vertelde over het lekkerste, zachtste weer of over al die noor'oosters, als hij werd verleid, als hij klaarkwam. Ze stelde zich voor dat hij zo zou kijken, tijdens een of ander moment met zijn vrouw, waarin hij alles opbiechtte. Maar nee. Dat zou hij nooit doen. Of wel?

'Maak je geen zorgen,' zei ze en ze walgde van zichzelf omdat ze bakzeil haalde.

De man achter de balie riep zijn naam af. 'Hier blijven, Hannah,' blafte hij.

'Hannah,' koerde Janet. 'Dat is een mooie naam voor een meisje. Ben jij een lief meisje?'

Hannah schudde haar hoofd en pruilde.

'Weet je, Hannah, de laatste keer dat ik je zag, zat je nog in je moeders buik. En hoe oud ben je nu?'

'Vijf,' zei het meisje, haar ogen groot en vochtig.

Janet knikte, verveeld door die informatie. Ze streek haar eigen haar glad, liet haar hand langs haar lichaam glijden en legde die toen op haar heup, in de hoop dat Dave het zou zien. Maar het was het meisje dat naar haar keek. Ze bootste de beweging na.

Wat schattig, dacht Janet. Ze pakte een van de vlechtjes van het meisje vast, zacht als het oor van een hond. Ze wond het rond haar vinger en gaf er een kort rukje aan. Het meisje kromp ineen en staarde haar toen met een mysterieuze glimlach aan. Als ik een man was geweest, overdacht Janet, had ik een vaderschapstest geëist.

'Je doet me denken aan mezelf,' fluisterde ze tegen het meisje.

Hannah maakte een knicksje en zei: 'Jij bent lelijk.'

Janet klapte verrukt in haar handen. Ze trok aan beide vlechtjes en het meisje gaf zich over aan de prettige spanning op haar schedel. Janets adem stokte.

Dave kwam terug en sloeg Janets hand weg. 'Blijf alsjeblieft van mijn dochters vlechtjes af.'

'Als je erop staat,' zei ze en ze strekte een hand uit naar zijn haar.

'Janet. Alsjeblieft.' Hij deinsde terug. 'Dit is niet het juiste moment,' mompelde hij en hij duwde het meisje naar de deur.

Wat bedoelde hij daarmee? Ze voelde zich frivool. Had Dave problemen? 'Ik ben er altijd voor jou. Je weet waar je me kunt vinden,' riep ze en hij hield even in, heel kort. Ze zag een rilling – van de goede soort, dacht ze – over zijn rug trekken. Zijn aarzeling om door te lopen stemde Janet opgewonden en hoopvol, dat alles in duigen zou vallen. Ze wilde dat hij weer tegen haar zou schelden. En dan flauwtjes glimlachen, op de manier waar ze zo van hield. Dan zou ze weten dat hij haar niet kon vergeten, dat hij op dezelfde manier door haar was geobsedeerd als zij door hem. Misschien had hij gekregen wat hij écht wilde, maar er waren momenten geweest dat Janet in dat ideale plaatje was verschenen. En dat kon ze weer doen. Zoals ze net had gedaan. Hij zou aan haar denken vanavond. Dat wist ze. En toen, vreemd genoeg en tot haar schaamte, wilde ze het terugnemen. Haar aanbod voelde onecht, en toch had ze het uitgesproken. Was dat wat ze écht wilde? Nog meer daarvan? Of wilde ze iets nieuws? Ze haatte het, al dit droogdenken. Als versuft schuifelde ze naar het raam.

Dave ontgrendelde zijn auto en het meisje trok de portierhendel omhoog. Ze had al haar kracht nodig om de deur open te krijgen. Ze klom in het kinderzitje en Dave deed haar de gordel om, teder, nu ze weer alleen waren.

Misschien was het helemaal niet zo verkeerd om een kind te hebben dat precies op haar leek. Het zou iemand zijn aan wie Janet kwijt kon wat ze wist. Alles wat ze wist. En kinderen brengen andere, onverwachte dingen met zich mee. Bepaalde voorrechten. Misschien waren Meredith en Dave helemaal niet zo snel verliefd op elkaar geworden, maar was het hun lust die de baby had voortgebracht die het begin van hun gezin was geworden. Janet had nooit overwogen om slordig met voorbehoedsmiddelen te zijn, om zo de aandacht van Dave op te eisen. Ze was ervan uitgegaan dat er geen compromissen vereist waren om te krijgen wat het leven te bieden had. En een kind had haar altijd het grootste compromis geleken. Maar de banden die dat met zich meebracht, hoefden toch niet per definitie iets slechts te zijn? Die banden konden de zekerheid van een goed leven betekenen. Banden hadden haar kunnen binden aan Dave. Als ze dit verkeerd had aangepakt, kon ze het toch nog gemakkelijk genoeg corrigeren? Als Dave weer voor haar deur verscheen, met zijn petje in zijn hand. Áls hij verscheen.

Of.

Misschien moest ze dat leven vanavond al zekerstellen, als haar gymleraar bij haar thuis kwam met wijn en een geroosterde kip van de supermarkt.

178

Of misschien konden ze er gewoon over praten.

Je kunt altijd van gedachten veranderen. Die schrijnende gedachte vatte post, terwijl ze keek hoe de kleine Santana zich naar haar toe draaide. Achter het portierraam trok ze een gezicht dat zoentjes leek te sturen en ze wiebelde heen en weer. Janet bloosde en blies een kinderkusje terug. Maar toen trok het meisje haar neus op en Janet zag dat het geen genegenheid was geweest, die ze had geuit; het meisje trok al de hele tijd een grimmig, zuur en spottend gezicht. *Stom wijf,* bedoelde ze.

Zeedrift

'Linda betekent "prachtig" in het Spaans,' fluistert de man in haar bed.

'Ik heet Lydia,' fluistert ze terug.

's Ochtends zit hij op haar aanrecht een biertje te drinken, zijn enkel over zijn knie, zijn broekriem nog los. Een onbekend vocht glinstert in zijn snor.

'Ik dacht dat je al weg zou zijn,' zegt Lydia.

'Dat was ook mijn bedoeling.' Hij slikt de laatste slokken bier naar binnen, loopt langs haar heen en knijpt nog even in haar kont, op weg naar buiten.

Als ze de was opvouwt, vindt ze een blauw sokje dat niet van haar is, en ze vraagt zich af of de man het per ongeluk heeft achtergelaten en het in de was is gekrompen, of dat hij het is vergeten en zijn voeten (of ten minste een ervan) verbazingwekkend *petite* zijn. Ze kan zich zijn voeten niet herinneren. Hij heette waarschijnlijk Paul.

De week erop vindt ze een rood wantje tussen haar witte wasgoed, de wol vervilt door de kookwas. Het kan gekrompen zijn, denkt ze, en ze herinnert zich de uitgesproken stijl van Doug, met zijn glanzende krullen, de kleurrijke tatoeage op zijn dij. Het zou een modestatement kunnen zijn. Maar het is eind mei; de tijd voor wollen wanten is voorbij.

Daarna verschijnt er een klein pompoenkleurig T-shirt in de droger, op de voorkant is met blauw garen 'Billy' geborduurd. De hals is zo klein dat ze haar hoofd er niet doorheen krijgt. Zou het ook gekrompen kunnen zijn?

'Is dit van jou?' Ze houdt het omhoog voor de man die aan haar tafel een *pop-tart* eet en het shirt vanuit zijn stoel bestudeert.

'Nee,' zegt hij uiteindelijk. 'Ik heet John.'

Met de kleding uit de was van de afgelopen weken legt ze een geplet kinderfiguurtje uit op haar bed. Het oranje T-shirtje van kleine Billy, de blauwe sok en het wantje rechts, een roze meisjessokje met ruches als linkervoet. Een blauwe overall van spijkerstof, van Sears, maat L, voor drie- tot vijfjarigen. Een corduroy jasje – de meest recente vondst – emblemen van Disney World en Lionel Trains er met een detonerende kleur garen op gestikt.

De verschillende maten leveren een mismaakt kinderfiguur op.

Ze wrijft het materiaal van het T-shirt tussen haar vingers; het is te zacht. Het gebrek aan wrijving irriteert haar, het is alsof ze twee vingers, bedekt met krijt, tegen elkaar wrijft. Ze pakt het jasje op. Wie naait er nou nog emblemen op kleding? Wie speelt er nog met treinen? Ze pulkt aan de draad en het embleem laat los. De corduroystof onder het embleem ziet er splinternieuw uit en is zacht als fluweel.

Ze hoopt dat Frank blijft slapen die nacht, maar het zou niet goed zijn als hij dit zag.

Ze verzamelt de kleren in een plastic zak, met de bedoeling die weg te gooien, maar in plaats daarvan zet ze hem in een hoek van de keuken, in de buurt van de wasruimte. Die avond sleurt ze Frank meteen naar haar slaapkamer. 'Je weet in elk geval wat je wilt,' zegt hij, terwijl hij zijn riem lostrekt.

Ze haalt een turkooizen meisjesjurkje met volants uit een lading handdoeken en stormt de keuken binnen, waar Cal voor de open koelkast staat.

'Heb je niet iets sterkers dan melk?' vraagt hij.

Ze gooit hem de jurk toe, die zachtjes bij zijn voeten landt. 'Jij hebt dit in mijn droogtrommel gestopt.'

Hij raapt de jurk op. 'Nee liefje, niet mijn maat.' Hij lacht meesmuilend en houdt het jurkje tegen zijn blote borstkas. Hij doet er een walsje mee. 'La da die,' neuriet hij. De zoom streelt zijn navel, de bovenkant komt tot net boven zijn linkerborstspier.

'Dit is geen spelletje,' zegt ze. Ze slaat haar armen over elkaar en staart strak uit het raam, zoals ze vrouwen in films heeft zien doen als ze voet bij stuk houden. 'Rot op.'

Ze wacht tot zijn auto hard de straat is uit gereden, voordat ze gaat zitten en de geroosterde puntjes brood eet die ze zorgvuldig heeft gesneden, zoals hij ze zo graag heeft. Ze doopt ze in jam en kauwt ze vol walging. Ze betwijfelt of Cal nog terugkomt. Ze kent hem nog maar een paar weken, maar ze zal hem missen. Ze spuugt wat gekauwde toast op het bord.

Een tijdje probeert ze haar was tot een minimum te beperken, ze draagt dagenlang hetzelfde ondergoed om te voorkomen dat ze weer een ongewenst kledingstuk ontdekt tussen haar fijne was. Maar nu wast ze elke handdoek meteen na gebruik, elke bh en elk paar sokken, elke jeans en elke blouse. Gewoon om te kijken. En elke dag zit er een kledingstukje tussen haar schone was. De lichtblauwe coltrui met een slaperige schildpad op de voorkant geborduurd. Het kleine T-shirt met een grasvlek op de mouw. De sweater met een regenboog erop gedrukt. Gestreepte sportsokjes. Superheldenondergoed. Kleren die toebehoren aan kinderen die Patrick, Anna, Ned, Stacy, Jack en Heather heten.

De zak zit barstensvol; ze kan haar ogen er niet van afhouden.

Haar vader schenkt nog een glas wijn voor haar in en zwaait de fles dan voor haar gezicht heen en weer. Hij neemt graag goede wijn mee als hij komt eten.

Ze likt aan het puntje van haar servet en veegt afwezig de wijn weg die langs zijn kin druipt.

'Wil je dat ik het vuilnis buitenzet?' vraagt hij, als zijn ogen haar starende blik naar de vuilniszak volgen.

Ze schudt haar hoofd. 'Nee,' zegt ze, 'ik doe het wel.' Ze pakt de zak en draagt hem naar boven, zet hem in de hoek van haar kamer, waar eens de hondenmand stond, knus tussen twee ramen met gordijnen.

Als ze terugkomt snijdt hij met gestrekte armen haar biefstuk, aan de andere kant van de tafel. Ze duwt het bord in zijn richting en hij eet haar vlees op.

'Ik denk erover een alarmsysteem te nemen,' kondigt ze aan, hoewel ze daar niet over heeft gedacht.

'Waarom?'

'De buurt verpaupert.'

Hij kijkt uit het raam, verwacht criminelen in actie te zien. Bij de buren aan de overkant hangt nog steeds kerstverlichting in de groenblijvende struiken, hoewel het al zomer is. Hij ziet dit als een teken en knikt instemmend.

Die avond kijkt ze naar de zak in de hoek van haar kamer. Als de koplampen van een auto hem beschijnen of de kerstverlichting van de buren op het zwarte plastic flakkert, lijkt het alsof iets in de zak zich beweegt.

Cal is teruggekomen om te zien hoe de vlag erbij hangt. Naderhand veegt hij met zijn hand het zweet van zijn kale borstkas, veegt die af aan het laken waarop ze liggen en wijst op de zak.

'Wat zit daarin?'

'Kinderkleding.'

'Lydia,' kreunt hij, 'ik dacht dat we daar hetzelfde over dachten.'

'Doen we ook.'

'Maar verzamel je dan kinderkleding voor de lol?'

'Nee.'

'Wil je een winkel beginnen?'

'Nee, wil ik niet.'

'Dan is het dus afval?'

'Ja, denk van wel.'

'Gooi het dan weg.'

Ze nestelt zich tegen hem aan om warm te worden. Het is fijn dat hij er is.

'Zal ik doen.'

Vroeg in de ochtend, als het nog donker is en Cal zachtjes jammert in zijn dromen, sleept ze de zak al worstelend naar beneden en legt hem op de achterbank van haar auto. Hij is verrassend zwaar en onhandelbaar en haar spieren trillen van inspanning.

Ze bekijkt de zak in de binnenspiegel. Hij steekt groot en

nietszeggend af tegen de bruine bekleding. Bijna rijdt ze een
overstekend oud vrouwtje aan. Als ze op de rem trapt, bonkt
de zak tegen haar rugleuning.

Op de brug over de brede, kolkende rivier worstelt ze
weer met de zak. Ze zet hem op de koude, metalen reling
en daar balanceert hij even, overeind gehouden door wind
uit alle richtingen, zo lijkt het. Ze hoeft de zak maar aan te
raken of hij valt van de reling.

Als de zak het water raakt, wordt hij meteen verzwolgen.
Dan barst hij weer door het wateroppervlak, alsof hij naar
adem hapt. Het licht flonkert erop en ze is verrast hoe mooi
de zak eruitziet, alsof hij iets speciaals is, waard om tentoon-
gesteld te worden in een etalage. Ze vraagt zich af of ze hem
had moeten houden.

De zak drijft weg, achternagezeten door een paar vogels.
Hun schaduwen in het ochtendlicht weven speels door elkaar terwijl ze naar de zak duiken. Lydia is blij dat ze hem
hebben ontdekt. Zij weten vast wel wat ze moeten doen. Ze
volgen een instinct dat met de ochtend te maken heeft.

Een gezochte man

Er was eens een man, een bekende man, we zullen hem 'onze man' noemen, die op één dag vijftig vrouwen zwanger kon maken.

Hij kon een danseres op hoge hakken over een afvalcontainer duwen; een serveerster over haar bar; een lerares over haar motorkap, op de parkeerplaats voor docenten. U begrijpt wat ik bedoel. Hij kon iedere vrouw krijgen die hij wilde en waar hij wilde. Hij kon er eentje nemen en als hij zich omdraaide, stond er al weer een andere te wachten en die nam hij dan ook. We kennen allemaal de verhalen. Weet u nog hoe hij een rij lokettistes van een bank neukte, de een na de ander? Hoe ze smeekten en puften en gromden, hun gezicht tegen hun loketraampje geplet, waarachter ze een bordje met GESLOTEN hadden opgehangen als het hun beurt was? 'Wat hebben wij een mazzel!' gilden ze. Weet u nog hoe ze allemaal tegelijk met zwangerschapsverlof gingen? Kent u het verhaal over die lift nog? Die honkbalwedstrijd voor kinderen? Onafhankelijkheidsdag?

Onze man was in de bloei van zijn leven, zijn status was onbetwist. Zijn nakomelingen waren het felst begeerd, het succesvolst, en je kon van hem op aan – hij miste nooit en was er altijd klaar voor (iets wat over mindere mannen niet gezegd kan worden). Vrouwen droomden ervan zijn baby's te krijgen. Jongetjes droomden ervan hem te zijn. Andere mannen bleven op afstand en sloegen hun ogen neer.

Maar onze man geloofde dat dit allemaal ging veranderen.

Onmogelijk, zegt u? Laten we als bewijs het verhaal van de serveerster nemen: toen hij haar over haar bar duwde, hadden de koks een verrassingsaanval ondernomen. De serveerster hield ze op afstand met een keukenmes en ze moesten het afmaken op de snijtafel, terwijl zij met haar mes naar de koks stak, met elke stoot die onze man haar gaf.

Onze man herkende de blik in de ogen van de koks. Ze dachten: Dat zou ik moeten zijn. Hij kende dat gevoel. Voor sommige jongemannen was het een langgekoesterd levensdoel en anderen overkwam het plotseling, alsof ze een klap op hun kop kregen. Ze wilden wat hij had en ze wilden het zo graag dat ze geloofden dat ze het konden krijgen, moesten krijgen. Dat ze er recht op hadden.

De laatste tijd werd onze man door jongemannen aangevallen in donkere steegjes; ze achtervolgden hem naar zijn huis, braken bij hem in, zetten vallen. Hij had al moeten verhuizen. Eerder kon hij zorgeloos en trots over straat. Nu sloop hij rond, droeg hij vermommingen. Hij zag affiches waarop stond: GEZOCHT, met zijn foto erbij.

Maar van al de veranderingen verbijsterde zijn verlangen om de serveerster weer te zien hem het meest.

Toen ze klaar waren, had hij haar gevraagd of ze even koffie met hem wilde drinken, om even te praten. Hij voelde een zwaarte in zijn maag, een behoefte om tijd met haar door te brengen. Het was een raar gevoel – hij had nog nooit een tweede keer verlangd naar een vrouw. Maar zij had haar notitieblokje en potlood al weer in de aanslag gehad. 'Ik werk hier,' zei ze kortaf en ze ging verder met bedienen. Hij had gebloosd en zich geschaamd. Wanneer had hij zich voor het laatst zo gevoeld?

Nu dacht hij na over het mes, hoe ze ermee had gestoken. Ze had niet zozeer hem beschermd, maar haar nakomeling. Maar toch, het gebaar ontroerde hem. Het voelde alsof er iemand om hem gaf. Hij had dat sinds zijn jonge jaren niet meer gevoeld, en hij wilde het opnieuw voelen.

Onze man keerde terug naar het restaurant, angstig en klaar om de serveerster uit te vragen, als haar dienst erop zat. Hij zou aanbieden een broodje of soep met haar te eten in een ander restaurant, zodat zij zich kon ontspannen. Dat was toch beter dan koffie?

Maar de serveerster was er niet. De koks waren er echter wel en zij zaten hem achterna tot in een donkere zijstraat, waar hij ze kon afschudden. Hijgend verschool hij zich in een afvalcontainer, totdat het veilig was om weer tevoorschijn te komen.

Onze man wist van een grot in het grote park bij het restaurant. Hij kon daar 's nachts wachten en de volgende ochtend terugkomen, om te zien of de serveerster er weer zou werken. Hij zou haar vertellen dat zij de enige was aan wie hij kon denken. Ze zouden zich erover verwonderen hoe vreemd dat was. Hij had het gevoel dat ze dat helemaal zou begrijpen, hém zou begrijpen.

De zon scheen fel en het gras geurde daardoor extra grassig. De dieren van het park renden rond. Onze man probeerde niet op te vallen, glipte achter bomen en in het struikgewas als er bedreigende types naderden. Hij wist twee voetangels te omzeilen die vermoedelijk voor hem waren neergezet.

Hij liep een open veld op, met slechts enkele schuil-plekken. Een groepje jongens op fietsjes zag hem. 'Hé!' schreeuwden ze. Ze gooiden stenen naar zijn hoofd. Onze man rende weg en de jongens achtervolgden hem op hun fietsjes over de grindpaden. Het was natuurlijk niet meer dan een spel voor hen – het waren immers jongetjes – maar het tumult trok de aandacht van anderen. Uit een boom werd een pijl op hem afgeschoten, die vlak langs zijn hoofd suisde. Een grote groep fitte jongemannen begon hem te achtervolgen. Maar onze man was sneller dan de meesten.

Hij wist op voorsprong te komen door tegen een heuvel op te sprinten en toen hoorde hij een lieve stem, die zei: 'Psst.'

In het midden van een grasveld zat een vrouw in een gele jurk op een grote deken. Ze schoof op en tilde haar deken op. Onze man dook eronder en ze legde de deken over hem heen. Ze leunde loom achterover om zijn lijf te verbergen en ging verder met lezen.

Degenen die achter onze man aan zaten, verschenen bui-ten adem op de heuveltop en speurden het grasveld af naar iets bewegends. De vrouw gaapte vol effectbejag. Ze renden verder, vochten met elkaar om de voorste te mogen zijn; de jongetjes werden van hun fietsen geduwd en gingen er hin-kend vandoor, terwijl ze bittere tranen huilden en hunker-den naar de dag dat ze zich man zouden voelen.

Toen ze allemaal waren verdwenen, kietelde de vrouw on-ze man door de deken heen en hij lachte.

'Sst, ze zijn heel dichtbij,' loog ze. Ze kneedde hem tot zijn adem versnelde. 'Ik neem je mee naar mijn huis. Daar is het veilig.'

Onze man was blij dit te horen. Niemand had hem ooit

een thuis aangeboden. Hij zou bij haar blijven, verzorgd worden en nooit meer hoeven te rennen.

Ze leunde voorover en gluurde onder de deken; haar ogen schitterden als gebrandschilderd glas; haar bruine haar lag als een hoopje dode, opgekrulde bladeren op het gras. Hij vergat zijn serveerster.

Onze man werd wakker en merkte dat de vrouw foto's van hem nam. Ze had een bloem achter zijn oor gestoken en deed alsof ze hem druiven voerde.

'Mijn vriendinnen worden gek als ze dit zien,' giechelde ze. 'Zal ik vragen of ze langskomen?'

'Ik wil alleen jou.' Hij pakte haar beet en kuste teder haar wangen, toen haar voorhoofd en haar ogen. 'Laten we trouwen,' zei hij. Hij kon zich niet herinneren dat hij zich ooit zo veilig had gevoeld.

'O, maar dat kan niet.' Ze pruilde ongemeend. 'Ik ben al getrouwd.'

'Is dat zo?'

Ze wurmde zich los en maakte nog een foto.

'Loop dan weg met mij,' zei hij. 'We kunnen samen een nieuw thuis vinden, ergens waar niemand me kent.'

'O nee, dat kan echt niet.'

Het voelde alsof er een klomp ijs door zijn keel gleed.

'Hou je dan niet van me?'

Ze lachte. 'Je bent een grappig mannetje,' zei ze en ze probeerde zijn gezicht tussen haar benen te duwen.

De klomp ijs bereikte zijn hart, daarna zijn maag. Het was een nieuw gevoel. Hij zei: 'Maar je wilt toch kinderen met mij krijgen?'

'Ik wil een kind van je, niet "kinderen met jou krijgen".

Dat is iets heel anders.' Ze haalde haar schouders op. 'De kinderen die mijn man me gaf zijn waardeloos. Ze zijn zwak en halen heel slechte cijfers.'

'Heb je kinderen?' Hij had geen idee. 'Waar zijn die dan?'

'Bij mijn moeder.' Ze zuchtte. 'Ik weet niet hoe lang ik jou nog heb, maar ik wil geen tijd verliezen. Dus kom op.' Ze schoof heen en weer op zijn schoot tot hij er klaar voor was.

Net toen ze klaar waren, hoorden ze de voordeur piepend opengaan, het geluid van een tas die op een tafel werd gesmeten, mappen met papieren die werden neergegooid en een vermoeide zucht van iemand die door niemand werd verwelkomd.

'Hallo? Is er iemand?' riep een man.

'Mijn man is thuis.' Ze gromde. 'Ik hoopte dat we nog een keertje konden. Het is zo leuk met jou.'

'Kom dan met me mee,' zei hij, terwijl hij zich snel aankleedde.

'Nee,' zei ze nukkig, 'dat zou alles verpesten.'

Ze hoorden hoe de man door het appartement liep, van de ene kamer naar de andere, hoe hij iets uit de koelkast haalde, het getinkel van glazen.

'Hallo?' riep hij weer.

Ze sprong op, deed de slaapkamerdeur op slot en schermde die af met haar lichaam. 'Ik hou echt wel van hem,' zei ze, maar ze keek naar onze man alsof ze iets verrukkelijks at. 'Het is gecompliceerd. Gewoon even stil zijn. Misschien gaat hij wel weg.'

De voetstappen naderden. 'Ellen?' riep de man. 'Ben jij daar?' De deurknop bewoog.

Onze man begon te trillen. 'Laat me eruit,' siste hij. Hij

hield er niet van om zo dicht bij een echtgenoot te zijn.

'Hé!' riep de echtgenoot. 'Wie is daar?'

Onze man duwde Ellen opzij en rukte de deur open.

Hij zag dat de echtgenoot ooit knap was geweest, maar nu was hij oud. Zijn kleren waren saai en hingen futloos om zijn lichaam, evenals zijn huid; zijn haar was zo zwart geverfd als schoenpoets om de grijze haren te verbergen.

De echtgenoot hapte naar adem en onze man herkende de blik op zijn gezicht: alsof een lang vergeten droom weer aan de oppervlakte kwam en de man de wilde ingeving kreeg om onze man te bevechten. Dat was dwaasheid. Hij was te oud. Maar nostalgie en spijt zijn krachtig. Hij haalde uit.

Onze man schoot langs hem heen.

'Wacht!' riep de echtgenoot, terwijl hij achter hem aan denderde. 'Kom terug. Laten we het op een akkoordje gooien.' Maar onze man hoorde hoe hij naar wapens zocht, al probeerde hij vriendelijk te klinken.

Onze man vluchtte het appartement uit; op de trap had hij maar twee stappen per verdieping nodig.

'Verdomme,' schreeuwde de man en hij stampvoette. 'Ellen!' jankte hij en onze man hoorde haar antwoorden: 'Het betekende niets.' Weer voelde hij die klomp ijs.

Onze man snelde door de straten, onopvallend maar toch met het gevoel dat iedereen op het punt stond hem aan te vallen. Hij verschool zich op een parkeerplaats en huilde, gehurkt tussen twee auto's. Er dreigde regen. De plompe gebouwen oogden naargeestig. De lampen achter de ramen schenen verblindend en groen. De gezichten van passanten stonden op onweer. Ze leken allemaal op zoek naar iets. Naar hem, waarschijnlijk.

'Uh, hallo?' zei een verlegen stem.

Onze man dook angstig weg tegen een auto. Zo onvoor-zichtig. Hij had niemand horen naderen; dit zouden weleens zijn laatste ogenblikken kunnen zijn.

Een vrouw stak een hand naar hem uit. 'Niet bang zijn.'

'Wat wil je?' siste hij en hij moest blozen omdat het zo onvriendelijk klonk. Waar waren zijn manieren gebleven? Ze zag er aardig uit.

'Dit is mijn auto,' zei ze.

Hij lachte, al weer een beetje opgelucht. 'O, sorry.' Hij kwam overeind, maar bleef ineengedoken staan en wendde zich af van het drukke trottoir.

'Gaat het wel goed met je?'

'Jawel hoor.' Hij veegde de tranen uit zijn ogen. 'Zware dag gehad.'

'Ik weet er alles van.' Ze leunde op dezelfde plek tegen de auto waar hij had gestaan en haalde een sigaret uit haar tas. Bedachtzaam blies ze uit en onze man voelde zich verborgen in de rook.

'Dank je,' zei hij en hij ontspande een beetje door haar gezelschap.

'Waarvoor?'

'Dat je gewoon even hier bij me staat.'

Ze glimlachte. 'Geen probleem. Je ziet eruit alsof je wel een vriend kunt gebruiken. Ik ben Jill.' Ze stak haar hand uit. 'En jij bent?'

Zijn adem stokte, zijn tong zwol op: ze kende hem niet.

Ze zag er gewoontjes uit, met steil zwart haar, kleine ogen, dunne lippen, maar grote, rode wangen waardoor het geheel er uitnodigend uitzag. Ze was het soort vrouw dat hij over het hoofd zou zien. Ze leek iemand die niet gezien wilde worden. Hij wilde voor altijd bij zo iemand blijven. Misschien werd hij dan zelf ook gewoontjes. Zou hij niet meer opvallen. Dat zou hij fijn vinden. Hij pakte haar hand.

'Zullen we ergens heen gaan?' Hij stelde zich voor dat ze te onzeker en te bescheiden was dit zelf te vragen.

Ze bloosde, opgetogen. 'Zeker weten?' Ze boog haar hoofd vol ongeloof en vrolijke schaamte. 'Ik kan amper geloven dat ik dit doe.' Ze gaf hem een arm en wilde weglopen.

'Gaan we niet met je auto?' vroeg hij, zijn hand op het portier.

'Nee, ik woon hier om de hoek.'

Hij concentreerde zich op haar, zodat hij niet in paniek zou raken op het trottoir. Hij voelde zich gewoontjes met deze vrouw aan zijn arm, alsof hij mensen kon aankijken. Maar dat durfde hij niet.

Haar appartement was leeg, maar toch moest ze even zoeken voordat ze bekers had gevonden.

'Ben je net verhuisd?'

'O ja,' zei ze, terwijl ze de lades afspeurde naar thee.

'Waar kom je vandaan?' Onze man zat op een eenvoudige houten stoel aan een lege tafel.

'Uh, het Midden-Westen?' zei ze en ze trok een gezicht naar hem, alsof ze het zelf amper kon geloven. 'Maar dat wil ik het liefst vergeten, eerlijk gezegd.' Haar stem werd dik van emoties. Hij raakte opgewonden door haar kwetsbaarheid.

'Nou.' Hij liep naar haar toe en legde zijn handen op haar heupen. 'Dan zul je het hier vast leuk vinden.'

Ze liet zich aanraken, aarzelde toen en schoof een beker tussen hen in. 'Stop.'

Hij stak zijn handen omhoog, gaf zich over. 'Sorry.' Wanneer had hij dat voor het laatst moeten zeggen?

'Nee ...' Ze lachte, wat treurig weliswaar. Ze duwde zijn armen langs zijn zij. 'Het komt gewoon omdat ik niets van je weet.'

Hij voelde zich gevleid en opgetogen. 'Wat wil je weten?'

Ze deed haar mond open, alsof ze iets wilde zeggen. Hij wilde maar wat graag zijn duim tussen die lippen duwen, zodat zij er zachtjes aan kon likken. De stilte tussen hen kolkte in zijn oren. Hij was bang die te verbreken. Hij voelde zich dom in haar nabijheid. Maar hij wilde dat ze hem zou leren kennen. 'Ik ben eenzaam,' zei hij.

Ze boog voorover, zoende zijn knokkels.

De spanning in zijn schouders trok weg. Hij wist niet wanneer hij voor het laatst zoveel tederheid had gevoeld. Toen lachte hij, dolblij. Zij lachte ook. Ze sloegen hun handen ineen en lachten samen.

'Ik heb altijd een gezin willen hebben,' zei hij.

'Ik ook,' koerde ze.

'Wel een echt gezin dan. Met kinderen die ik zie opgroeien.' Hij haalde zijn vinger over haar buik, net boven haar broeksband, onder haar hemd. 'Dit heb ik nog nooit aan iemand verteld.'

Ze huiverde en likte haar lippen. Hij dacht: Dit is mijn toekomst, dus waarom nog wachten?

Hij knielde voor haar neer en wond het draadje van zijn theezakje om haar vinger.

'Wil je met me trouwen?' Hij kon niet geloven dat hij het had gezegd. Hij stelde zich voor hoe hij op een zonovergoten ochtend naast haar wakker zou worden.

Ze trappelde met haar voeten en riep: 'Ja!'

Hij sloeg zijn armen om haar heen alsof ze een lang, licht kussen was. 'Je moet wel terug naar het Midden-Westen,' zei hij en toen ze hem vol onbegrip aankeek, legde hij het uit. 'Het is hier niet veilig voor mij.'

Ze nam zijn gezicht in haar handen. 'Met mij ben je overal veilig.' Haar speurende ogen waren vochtig. 'Voel je je niet veilig?'

'Dat doe ik wel! Ik voelde me meteen al veilig bij jou,' zei hij, al weer vergeten dat hij zich bedreigd had gevoeld toen hij haar was tegengekomen.

Hij draaide haar rond. 'Ik heb je nu en ik laat je nooit meer gaan,' riep hij en zij wierp haar hoofd in haar nek en wiebelde met haar benen, als de prooi van een filmmonster. Deze keer hoefde hij niet te vluchten.

Ook de slaapkamer was leeg: op de vloer een matras, een enkel laken lag in een prop aan het voeteneinde. De ramen waren afgeschermd met bruine doeken en er was een stoel neergezet zodat iemand zittend door een kier tussen de lappen stof naar buiten kon kijken. Er stond een slordig geverfde ladekast. Onze man veegde de paar dingen die erop lagen op de vloer.

Hij trok haar hemd over haar hoofd; haar borsten, peervormig en groot, schoten uit haar bh toen hij aan de bandjes trok. Ze was mollig. Haar buik zag er raar en opgezwollen uit. Al het bewijs ten spijt, zou hij kunnen denken dat ze al zwanger was. Maar nee, ze had de honger van een lege vrouw.

Ze kreunde dat ze er klaar voor was en dat was ze. Hij wilde haar net over die ladekast duwen toen ze nee zei en onze man achterwaarts naar het bed duwde. Hij viel erop en zij kwam schrijlings op hem zitten. 'Zó doen we het.'

De vrouw stopte hem in zich en slaakte een langgerekt *ooooo*. 'Het is net alsof je onder stroom staat,' zei ze. Ze begon langzaam te wiegen en glimlachte ernstig. 'Ik krijg vast het beste kind.'

Onze man concentreerde zich op haar benen, die zijn heupen strak omklemden, waardoor hij zich beschermd voelde.

'Je wordt vast een geweldige moeder.' Hij zuchtte.

Ze begon heen en weer te schuiven, zwierde met haar haar, wipte op en neer en het voelde zo lekker. Hij kon niet geloven dat hij het geluk had gehad haar tegen het lijf te lopen, en precies op het moment dat hij het zo nodig had gehad. Hij keek naar haar schommelende borsten, haar zwoegende buik, haar mond, rond van genot en dan weer breed van verrassing. Hij sloeg zijn handen ineen achter zijn hoofd alsof hij een dutje deed in het park, niets om je zorgen over te maken, met zijn penis diep in haar en klaar om over een minuutje of wat een gezin met haar te stichten. Hij kwam terecht in die duizelige toestand waarvan hij zo hield, zijn lichaam voelde als de glazen behuizing van een thermometer, de vloeistof steeg, zwol aan, op het gevaarlijke af – het glas kon breken! – toen hij dacht iets te zien bewegen in de deuropening: een man, een schaduw, een geest. Toen was het weer verdwenen.

'Mijn kind wordt het beste,' zong ze kronkelend.

Onze man raakte verloren in haar gezang. Ze kwam klaar. En toen, balkend en wild in het rond grijpend, kwam hij ook.

Ze was stil en hield op met bewegen.

Zijn hoogtepunt trok langzaam en jengelend weg en maakte plaats voor een nieuwe nervositeit. Hij schraapte zijn keel een paar keer, maar ze bleef zwijgen, bewegingloos. 'Vond je het lekker?' Het was een vraag die onze man nog nooit had gesteld.

'Tuurlijk,' zei ze, hoewel ze geërgerd leek. Haar glimlach was verdwenen. Ze duwde haar handen tegen zijn sleutelbeenderen en zei somber: 'Maar dat is niet waarom ik je heb meegenomen.'

Ze sloeg haar handen om de keel van onze man en kneep.

Alles in hem werd koud. Zijn vermoeide ledematen werden wasachtig en doods. Hij was nog nooit door een vrouw bedreigd. Hij wist niet hoe hij moest reageren. Moest hij haar slaan? Dat kon hij niet.

'Wat doe je nu?' piepte hij. Zijn uitgestorte zaad stolde afgewezen tussen hun lichamen.

'Haat me niet,' zei ze. 'Ik doe dit voor mijn baby. Ik ben geen slecht iemand.'

'Alsjeblieft,' sputterde onze man. Hij worstelde, maar op zijn rug liggend was hij weerloos. Ze was sterk en vastbesloten. Toch al een moeder. Het begon allemaal op zijn plek te vallen. Ze wás zwanger, had precies geweten wie hij was en hielp een andere man, de vader van haar kind, om onze man te overwinnen, zodat hij zelf een man van formaat zou worden. Ze kwam waarschijnlijk niet eens uit het Midden-Westen.

Er verschenen zwarte vlekken voor de ogen van onze man, zijn gehoor klonterde samen. Hij graaide en schopte wild om zich heen, terwijl zij hem steviger vastgreep. Hij gorgelde, zijn borstkas brandde. Hij voelde zich zo'n stommeling. Hij sloot zijn ogen en kon niet geloven dat dit het dan was.

Hoe vreselijk was het leven, dacht hij verwonderd, maar hoe eerlijk. Hij kreeg zijn verdiende loon. Hij dacht terug aan hoe hij onze man was geworden. U weet vast nog wel hoe hij op zijn voorganger was gestuit – een man in de bloei van zijn leven, krachtig, zijn status onbetwist – die midden op de hoofdstraat aan het copuleren was. Het verkeer was tot stilstand gekomen en een bewonderende menigte had zich verzameld. Hoe onze man hem in elkaar sloeg, tot bloedens toe, zijn botten brak met zijn blote handen en hem achterliet, waarop hij nog een paar passen weg wist te kruipen en vervolgens stierf. En hoe onze man daarna de vrouw bezwangerde die hongerig op hem wachtte en daarna nog veertien andere vrouwen uit de kring van toeschouwers. De menigte had nooit eerder zo'n spektakel gezien. U weet hoe het verderging.

Maar wat u waarschijnlijk niet weet, is dit: het was niet iets wat onze man van plan was of zelfs maar dacht te willen. Hij had een vriendin bij wie hij graag was en die hij graag neukte. Ze wilde verpleegster worden. Hij had altijd van films gehouden en dacht dat het leuk zou zijn om iets in die branche te doen. Maar toen hij op het tafereel stuitte – de man, de vrouw, de menigte – werd hij bevangen door een rauw verlangen. Hij voelde een urgente begeerte om meer te zijn dan hij ooit had gewenst. Hij gaf zich over aan dit nieuwe droombeeld: met bloed aan zijn handen werd hij onze man. En hij genoot ervan. Hij was trots op zijn werk. Dat verhaal over die lokettistes in die bank? Hij zou graag willen dat u zich herinnerde dat hij ook zeven vrouwen had gepakt die stonden te wachten tot ze geld konden opnemen.

Maar nu had hij maar al te graag een andere route genomen die dag, zodat hij die man niet had zien copuleren, niet had gezien hoe hij werd aanbeden, zodat hij niet dat gevoel in zijn buik had gekregen, dat zei: Dat had ik moeten zijn.

Hij voelde de wurggreep van de vrouw verslappen en dacht: Oké, nu ben ik dus dood. Ik ben van al dit gedoe af en misschien is dat maar beter ook. Maar toen duwde er zachtjes een hand tegen zijn voorhoofd en een stem zei: 'Hallo? Hallo? Hallo?'

Hij opende zijn ogen en er stond een vrouw over hem heen gebogen, een andere vrouw, eentje met blond haar, in een nachtjapon. Ze glimlachte naar hem en hield een honkbalknuppel omhoog, rood van het bloed, en toen voelde hij dat er iets kouds rondom zijn heupen zat. Hij keek ernaar en zag de vrouw die hem had aangevallen, onderuitgezakt, stijf en naar een kant overhellend. Haar hoofd was een bloederige kluwen van haar en botsplinters.

De vrouw in de nachtjapon duwde het lijk op de vloer en stak haar hand uit naar onze man. 'Laten we maken dat we wegkomen, voordat de anderen je weten te vinden,' zei ze. Ze trok onze man omhoog en voerde hem langs een ander lijk, dat onderuitgezakt in de deuropening lag. Hersenen zaten tegen de muur gespat. Het was een man. Hij leek een beetje op onze man.

Ze renden door de nacht, op weg naar een ander deel van de stad. Onze man was op blote voeten; hij had het koud. Op de trottoirs zwierven groepjes jongemannen rond, op zoek naar hem. Ze wisten dat onze man verzwakt was, gewond. Dat róken ze. Ze droegen wapens, sloegen ermee in hun handpalm, rammelden ermee als je ermee kon rammelen. Vrouwen ontstaken kaarsen achter hun raam of op de trap naar hun huis, als een wake voor hem.

De vrouw leek op een geest in haar nachtjapon, haar haar was oogverblindend wit onder de straatlantaarns, maar kennelijk was ze onzichtbaar voor anderen en onze man vermoedde dat ook hij niet gezien kon worden, zolang hij bij haar was. Ze verscholen zich achter brievenbussen op straathoeken als ze zagen dat er een bende kwam aangemarcheerd. Ze slopen achter geparkeerde auto's langs, om uit het zicht te blijven van cafés waar de uitbaters hun oren gespitst hielden voor elk geluid van de man. De vrouw omhulde hem met haar eigen lichaam, om zijn geur te verbergen onder de hare. Haar warmte wond hem op. 'Later,' zei ze en ze streek over zijn borstkas.

In de straten huilden de sirenes. De stad kolkte in afwachting van een grote omwenteling.

De vrouw vloog door de straten en trok onze man voort.

'Nog een klein stukje,' moedigde ze hem aan.

Zijn voeten waren bloederig; stukjes asfalt en glas zaten in zijn vlees.

'Gewoon blijven lopen,' smeekte ze hem.

Ze hoorden geblaf. Een roedel honden volgde het spoor van het bloed dat hij met elke stap verloor. De vrouw rende een steegje in en sprong omhoog om een brandladder naar beneden te trekken. Ze duwde hem erheen. Vooruit, vooruit, riep ze en hij klom omhoog, met haar achter zich aan. Boven aangekomen ging ze hem voor over de daken, die zich kilometers lang uitstrekten, nog warm van de zon. Duiven schrokken op van hun roest en vlogen op, waarmee ze het spoor van de man verraadden, dat de mensen beneden nu konden volgen.

Uiteindelijk, na veel vogels, sprongen naar andere daken, zigzaggend naar een heel ander deel van de stad, lieten ze het rumoer van de bendes achter zich. De vrouw duwde een onopvallende deur open en onze man tuimelde naar binnen.

Een kamer vol vrouwen, die scherp inademden.

Iemand fluisterde: 'Hij is het.' Toen barstten ze luidruchtig los, als een vlucht wegvliegende ganzen.

Onze man zag tientallen vrouwen, handenwringend van behoefte. Hij werd bang.

De vrouw in de nachtjapon nam hem mee naar een stoel in het midden van de kamer.

'Hier ben je veilig,' zei ze. 'Geloof je me?' Ze keek hem diep in zijn ogen en hij geloofde haar.

Onze man werd wakker omdat een blondje hem afzoog.

'Er is een rij, maar ik wilde als eerste,' zei ze. Ze trok hem omhoog. Ze waren in een vensterloos vertrek met een betonnen vloer; het tweepersoonsbed waarin hij had geslapen stond tegen een muur, ertegenover stond een kleine televisie op een metalen steun. Dat was het.

De vrouw kneep in zijn hand en staarde hem aan, en toen herkende onze man haar.

Hij bepotelde haar naakte borstkas en lachte. 'Waar is je nachtjapon?' Hij moest bijna huilen, omdat hij haar weer zag.

Ze wreef over zijn gezicht, snakte naar adem. Haar ogen waren vochtig. 'Ik wilde niet dat ie me in de weg zou zitten. Man, man, wat ben je mooi,' zei ze en ze streelde zijn oren, zijn ogen, wilde haar vingers in zijn mond stoppen, maar hield zich toen in. 'Het is gewoon opmerkelijk,' zei ze. Hij legde haar op het bed. 'O wauw,' gilde ze. Ze beukten het bed naar de andere kant van de kamer.

Nadat hij was klaargekomen, zette de vrouw haar handen op de vloer en gooide ze haar benen omhoog, tegen de muur. 'Mijn dokter zegt dat dit helpt,' zei ze rood aangelopen. Haar haar lag om haar heen, ze ademde zwaar, nu haar ingewanden naar haar keel zakten.

'Je bent hilarisch,' zei onze man, al bijna weer op het punt in vreugdetranen uit te barsten. Ook hij probeerde een handstand te doen, maar hij viel om en lachte. 'Ik wil voortaan elke seconde bij je zijn!'

Ze giechelde. 'Leid me niet af!'

Toen ze opstond om weg te gaan, vroeg hij of hij met haar mee mocht.

'Te gevaarlijk, schatje. Jij blijft hier.'

Onze man vroeg wanneer ze weer terug zou komen.

'Zodra ik kan,' zei ze en ze vertrok.

Meteen liep er een andere vrouw de kamer in, die zich begon uit te kleden.

'Het spijt me,' zei onze man en hij realiseerde zich dat hij naakt was. 'Je bent vast de verkeerde kamer in gelopen.'

De vrouw trok haar T-shirt over haar hoofd. Haar strakke borsten beefden. Ze had tatoeages van afschrikwekkende adelaarskoppen op haar heupen. 'Zeker weten van niet,' zei ze en ze stapte uit haar rok, in zijn richting. Daaronder droeg ze niets.

'O.' Zijn mond werd vochtig, zonder dat hij daar iets tegen kon doen.

'Ze hebben niet overdreven,' zei ze, terwijl ze haar handen over zijn borstkas bewoog. Haar nagels trokken een tintelend spoor, dat zijn oren deed suizen.

Hij schraapte zijn keel. 'Die vrouw die zojuist wegging. We horen bij elkaar.' Hij voelde zich klaar om zich te binden, en hij geloofde dat ook de vrouw in de nachtjapon daaraan toe was. Het betekende dat hij nee moest zeggen tegen andere vrouwen. Hij wilde nee zeggen.

Ze stak haar tong diep in zijn oor. 'Is dat zo?'

Hij voelde de warmte tussen haar benen. Langzaam liet

ze zichzelf zakken, totdat ze bij hem op schoot zat. Onder haar huid trokken haar spieren zich samen en onze man rook haar geur, gemengd met een zwaar parfum in haar nek. Ze was zo dichtbij en zo gretig, hij kon er niets aan doen.

Er stond een lange rij wachtende vrouwen, en ze hielden niet van wachten. Velen waren nors en reageerden geërgerd als hij een minuut voor zichzelf nodig had. Sommigen waren oud, anderen weer veel te jong, zodat zijn opwinding gepaard ging met schaamte. Sommigen hadden ziektes, waren mismaakt. Het was niet het soort vrouwen dat hij gewoonlijk bevruchtte.

Het voelde alsof er weken waren verstreken toen de vrouw in de nachtjapon weer bij hem kwam. Ze leek verdrietig.

'Ik dacht niet dat het nodig zou zijn om terug te komen.' Ze fronste. 'Ik dacht dat we van jou op aan konden.'

'Wilde je me niet weer zien?'

'Natuurlijk wel.' Ze glimlachte dunnetjes en klopte tussen haar benen. 'Kom op. Ik ovuleer nu.'

Hij verraste zichzelf – en hij zag dat hij ook haar verraste – omdat hij huilde toen hij haar vasthield, toen hij klaarkwam en toen hij toekeek hoe ze weer vertrok. Maar het was anders dan de eerste keer, voordat hij geweten had wat deze weken in gevangenschap zouden brengen, toen hij gewoon blij was geweest dat hij nog in leven was, had gedacht de liefde van zijn leven gevonden te hebben en dat hij zou doodgaan als hij haar niet snel weer zou zien. Hij verlangde alleen naar haar. Maar hij kon zichzelf er niet van overtuigen dat zij hetzelfde voor hem voelde, en dat gaf hem een leeg gevoel.

'Vertel me alsjeblieft hoe je heet,' zei onze man tegen de vrouw in de nachtjapon. Ze lag opgekruld op een hoek van het matras, zo ver mogelijk bij hem vandaan. Ze dacht dat de baby zich beschermd zou voelen en zou gaan groeien, als ze zichzelf maar strak genoeg oprolde.

'Mary,' zei ze.

Hij wachtte tot ze zou vragen hoe hij heette. Toen ze dat niet deed, zei hij: 'Wil je mijn naam niet weten?'

Ze haalde haar schouders op. 'Tuurlijk wel.'

'Ik heet Sam.'

'Je ziet er niet uit als een Sam.'

'Hoe zie ik er dan uit?'

Ze bekeek hem aandachtig. Hij wilde zo graag een gevoel van vertrouwdheid in haar oproepen, een gevoel van: je doet me aan iets uit het verleden denken, aan de essentie van mensen om wie ik ooit heb gegeven, aan tijden die belangrijk zijn geweest voor me. Hij wilde zo belangrijk zijn dat ze bleef. Ze zei: 'Dat weet ik niet. Maar niet als een Sam.'

De volgende keer dat ze langskwam, vroeg hij: 'Wat doe je op de dagen dat ik je niet zie, Mary?'

'Werken, vrienden opzoeken, je weet wel.'

Die nacht droomde hij over haar en haar vrienden, en alle geweldige dingen waarover ze zouden praten.

'Mary, mag ik naar buiten?' vroeg onze man Sam. Hij was bleek geworden, zijn schouders waren smaller en hij had een buikje gekregen. 'Ik moet nodig weer eens hardlopen.' Hij sloeg zijn armen voor zijn buik om die te verhullen.

'Nee, je bent nog steeds een gezochte man.' Ze trok zijn armen los. 'Maak je geen zorgen. Het gaat om wat er in je zit. Dat telt.'

'Waar zijn al die andere vrouwen gebleven?' Hij had meer vrije tijd; als de deur openging voor de volgende vrouw, zag hij dat de wachtkamer leger was.

'Die zijn weggegaan om kinderen te krijgen,' zei Mary nukkig.

Hij vroeg hoe ze heetten. Hij herkende hen alleen aan hun uiterlijkheden – litteken op been, tatoeage op rug, verlamd. Hij dacht dat het hem zou helpen zich voor te stellen hoe hun kinderen – zijn kinderen – waren geworden, als hij wist hoe ze heetten.

Mary vertelde het hem: Claire, Veronica, Nan en ga zo maar door.

'Wat als een van hen vertelt waar ik ben?'

'Dat doen ze niet. Mannen scheppen graag op, maar ze zijn kortzichtig. Vrouwen zijn bedachtzaam. Wij denken aan de lange termijn. Jij bent goed voor de wereld.'

Hij voelde aan zijn wangen. Ze waren warm. Hij bloosde. 'Ben ik ook goed voor jou?' vroeg hij. Hij voelde zich ziek in zijn hart.

'Kun je maar beter wel zijn,' zei ze, terwijl ze zich uitkleedde. 'Je bent mijn laatste hoop.'

Maar hij was niet goed voor haar.

Wellicht was hij buiten deze muren al vervangen. Of misschien was het hem gelukt iedere vrouw in de stad tevreden te stellen, behalve deze ene. Nadat alle andere vrouwen waren bezwangerd en opgezwollen waren vertrokken, bleef alleen Mary over – leeg. En bij elk bezoek was ze erger teleurgesteld. Hij begreep niet waarom ze bleef komen, als hij toch telkens tekortschoot, maar hij wilde niet dat ze weg zou blijven – dan zou hij niets meer hebben. Dus probeerde hij het nog harder, hoewel hij niet wist hoe.

Het was geen goed leven. Maar het was een leven.

Op momenten dat hij zich het eenzaamst voelde, bedacht hij dit: Ze had hem onder haar hoede genomen. Hij was niet afgedankt om opgejaagd, bevochten en gedood te worden. Er was een vrouw die voor hem zorgde, die hem nog steeds vroeg haar aan te raken, telkens weer, en die tegen beter weten in geloofde dat hij iets te bieden had – tot dusver tenminste. En die het lukte om, in hun meest intieme momenten, als onze man haar probeerde te geven wat ze het liefst wilde, iets van haar bitterheid af te schudden en uiting te geven aan vreugde, genot of rust. Het kon iets onbewusts zijn. Misschien had het niets met hem te maken. Maar hij noemde het liefde. En zolang hij dat in haar zag, zou hij dankbaar zijn. Hij zou haar missen als ze niet bij hem was en zou wachten, met de gal brandend in zijn keel, tot ze weer terugkwam.

Het mastjaar

Jane propte zoveel mogelijk bezittingen in haar tas als ze kon. Haar baas had haar zojuist gevraagd naar zijn kantoor te komen en ze wist wat dat betekende. Een bezoekje aan het kantoor van de baas, dat beloofde nooit veel goeds. Als ze op het punt stond ontslagen te worden, wilde ze haar spullen alvast bij zich hebben.

Maar ze werd niet ontslagen. Ze kreeg promotie. Met loonsverhoging – een flinke. En een groter bureau. Ze pakte haar tas weer uit en zonk weg in haar nieuwe, betere stoel. Ze had vaak overwogen ontslag te nemen. Er zat geen perspectief in haar baan. Ze moest langdurig forensen. Maar nu was het gemakkelijker om te blijven. Die dag genoot ze zelfs van de rit naar huis. Het verkeer leek minder druk en niemand toeterde naar haar.

Dat weekend kwam Greg terug van een zakenreis, met een bobbel in zijn zak, veroorzaakt, zo bleek, door een doosje met een ring. Jane keek hoe hij de ring aan haar vinger schoof. Ze dacht na over hoe zijn spullen, als Greg bij haar in zou trekken, tussen haar spullen terecht zouden komen, totdat ze zouden vergeten wat van wie was. En er zaten nog andere voordelen aan die stabiliteit. Ze zou weten wat ze kon verwachten en wat er van haar werd verwacht. Ze draaide aan de ring, genoot van de schittering. Het was alsof de

wereld had gehoord wat ze verlangde en nu eindelijk had
besloten het haar te geven.

Zo begon haar jaar. En kort daarna kwamen de eerste
mensen.

Op een ochtend vond Jane een man en een vrouw slapend
in elkaars armen naast haar rozen. Jane dacht dat ze dakloos
waren, hoewel ze er niet haveloos genoeg uitzagen. Misschien waren ze dronken en verdwaald. Hun aanwezigheid
bracht Jane van haar stuk, maar ze zei tegen zichzelf dat ze
over een dag of wat wel zouden weggaan, dus wat kon het nu
helemaal voor kwaad?

De volgende dag stonden er twee tenten onder haar wilg.
Er renden wat kinderen rond en een man met een lange
baard maakte een cirkel van haar tuinstenen.

In de nacht werd Jane gewekt door gehamer. Toen ze opstond, zat een grote groep mannen, vrouwen en kinderen
ineengedoken onder paraplu's, tenten en dekzeilen die ze
tussen de bomen hadden gespannen. Het leken er wel een
stuk of veertig te zijn. Toen Jane de voordeur op een kier
opende en naar buiten gluurde, juichten ze.

Ze belde haar moeder.

'Klinkt als een mastjaar,' zei haar moeder. Jane hoorde
een spelprogramma op de achtergrond.

'Je bedoelt dat dit iets bekends is?'

'Ja, het is bekend. Het is iets wat bomen krijgen. Maar
soms overkomt het ook mensen.'

Haar moeder legde haar uit dat bomen in sommige jaren
veel meer noten krijgen dan in normale jaren. Zo'n jaar van
overvloed werd een mastjaar genoemd. En op de een of andere manier, alsof de boom ze riep, voelden de dieren dat de
boom buitensporig veel vrucht droeg en kwamen ze overal

vandaan. Ze verdrongen zich om de boom en schrokten zich
vol. 'Ik stuur je wel een boekje erover. Het is dun. Meer een
pamflet, eigenlijk.'

'Maar ik ben geen boom.'

'Je lijkt er wel op. Je drinkt water. Je bent lang. Je bent
prachtig.'

'Mam.'

'Jane. Als mensen een mastjaar hebben, is dat omdat ze
extra veel geluk hebben. Net als jij, met je loonsverhoging
en je verloving. Vind je niet dat je erg veel geluk hebt op dit
moment?'

'Het gaat allemaal prima, maar...'

'Mensen willen delen in jouw geluk. Laat ze. Je hebt tegen
de wereld gezegd: "Ik heb iets wat jullie willen." Je hebt met je
takken geschud en gezegd: "Kom maar." En dus kwamen ze.'

'Sorry mam, maar ik heb niet "met mijn takken geschud".
Ik heb helemaal niets gedaan.'

'Nou, sorry schatje, maar dat heb je wel. Anders zouden
ze er niet zijn.'

'Mam.' Jane zuchtte. Ze had spijt dat ze had gebeld.

'Jane, geniet er nou maar van. Je zult het heerlijk vinden.
Je wordt omringd door mensen die je geweldig vinden. En
dat bén je ook. Jij geeft ze het gevoel dat ze geluk hebben. En
als het eenmaal voorbij is, voel jij je een heilige. Het duurt
maar een jaar. Wat is een jaar nu helemaal?'

Jane wilde het Greg het liefst zelf vertellen, maar hij had
het al gehoord van vrienden op zijn werk. Hij belde met
veel vertoon bij haar aan en presenteerde bloemen aan haar,
hoewel hij een sleutel had en net zo goed naar binnen had
kunnen gaan. Jane bloosde en probeerde hem naar binnen te

loodsen, maar hij pakte haar bij haar middel en gooide haar achterover voor een filmkus. De menigte klapte. Iemand riep: 'Woe!'

Greg riep: 'Deze vrouw houdt van míj.' Hij zette een hoge borst op.

Maar eenmaal binnen stortte hij in. 'Waarom doe je dit?' jammerde hij.

'Het is gewoon iets wat gebeurt,' zei ze.

'Nou, zorg dan dat het ophoudt.'

'Dat kan ik niet. Ik weet niet hoe.'

'Ik heb iets heel anders gehoord.'

'Sorry?'

'Geef ik je niet genoeg aandacht?'

'Jawel, je doet het goed. Wíj doen het goed.'

'Zorg dan dat ze weggaan. Ze denken vast dat ik niet genoeg voor je doe.'

'Maar dat doe je wel.'

'Waarom zijn ze dan hier?'

'Dat weet ik niet.' Ze zoende zijn hals. 'Misschien doe ik niet genoeg voor jóú.'

Jane probeerde vroeg op te staan, zodat ze Greg ontbijt op bed kon brengen, maar hij stond al in de keuken toen ze beneden kwam. Op tafel stond Gregs fameuze omelet, in twee stukken gesneden, op bordjes, met bekers koffie, die van haar precies zoals ze hem graag had.

'Ik heb ook een koffiecake gebakken, maar die is nog niet klaar,' zei hij. Hij leek te fronsen.

'Heb je cake gebakken?' Ze rook vanille en iets bitters.

Hij keek even naar buiten. 'Ik bak áltijd cake,' zei hij. Hij klonk gekwetst. De menigte zag er hongerig uit.

'Nou, mooi,' zei ze en ze ging zitten. 'Ik ben gek op cake,' hoewel ze het gewoon oké vond. 'Is dit je fameuze koffie-cake?' vroeg ze en ze keek naar haar beige omelet.

'Ja, natuurlijk.' Hij lachte opgelucht en wierp weer een blik uit het raam. 'Je mag je gelukkig prijzen. Ik ben een man die in alles fameus is.' Zijn helft van de omelet was verdwenen en hij stond op om weg te gaan. Hij zoende haar woest, alsof hij zijn territorium moest afbakenen. Daarna werd zijn zoen tederder en ze moest ervan blozen. De gezichten voor het raam glimlachten verkrampt.

'Wees eens lief en breng dat over vijf minuten naar buiten,' zei Greg. Hij pakte twee twintigjes uit haar portemonnee en verdween.

Ze gooide de rest van haar omelet in de vuilnisemmer. Het was fijn dat hij fameuze gerechten maakte, maar in werkelijkheid betekende fameus gewoon eenmalig, en zijn fameuze omelet was niet eens erg lekker. Ze nam een hapje van de koffiecake. Die was zout. Jane sneed hem in plakken en legde die op een schaal. Ze zou tegen hem zeggen dat ze er niet van af had kunnen blijven.

Toen ze uit de garage reed, dromden mensen samen om haar auto aan te raken. Ze vergrendelde de portieren. Hun kleding veegde langs de ramen. Metalen knopen van jassen tinkelden als regendruppels tegen de auto. Diepe concentratie was van hun gezicht af te lezen, alsof ze een bekende geur probeerden thuis te brengen. Ze hielden kleine snuisterijen in hun handen, talismannen van hout en steen, stapeltjes brownies, bijeengehouden met linten. Die boden ze haar aan.

'Nee,' zei ze achter het raampje. 'Hou die maar. Ik heb ze niet nodig. Hebben jullie ze niet nodig?' De brownies zagen er lekker uit. Het water liep haar in de mond. Maar nee, hier ging het juist allemaal om. Zij waren behoeftig en zij kon geven, en daarna zouden ze weer weggaan, toch? Ze deed het raampje net ver genoeg open zodat de schaal met koffiecake erdoorheen paste. Iemand in een wollen jagersjasje pakte hem aan. 'Het spijt me, maar hij is niet echt lekker,' zei ze door het kiertje. 'Ik heb hem niet gemaakt. Dat zal ik de volgende keer doen. Dat beloof ik.'

Ze roken aan de cake en hielden kruimels tegen hun tong, aarzelend omdat zij – dacht ze – had gezegd dat ze hem niet lekker vond. Ze klopte tegen het raampje.

'Toe maar. Het is goed, hij is lekker,' spoorde ze hen aan. Ze begonnen stukjes in hun mond te stoppen. Aan hun gezicht was te zien dat de cake, om eerlijk te zijn, niet zo lekker was. Ze dacht dat ze hem misschien zouden uitspugen en vertrekken, omdat ze zouden besluiten dat als haar eerste aanbod zo'n vieze koffiecake was, het verder ook de moeite niet waard zou zijn. Maar ze aten stug door.

De cameraploegen van het nieuws kwamen. Ze zag haar huis op televisie. Ze zag zichzelf, eerder opgenomen, achter haar keukenraam, fel verlicht in de donker wordende avond, terwijl ze de afwas deed, haar haar aan één kant oplichtend, de andere kant doffer. Op televisie droeg ze een sportshirt van Greg, van zijn universiteit, en ze herinnerde zich dat ze zich die dag beiden ziek hadden gemeld, voor de gein.

Terwijl ze keek, streek ze onbewust haar haar glad.

Na het nieuwsbulletin schoten de mensen als paddenstoelen op in haar tuin, op de plek waar ze een zwembad wilde aanleggen, struinend door de bosschages aan de rand van haar tuin. Mensen klommen in bomen en bouwden daar

hutjes in. Ze zag hele gezinnen 's avonds in de takken verdwijnen, om in de ochtend weer naar beneden te klimmen
en haar vuilnis te doorzoeken.

Toen het gazon en de bomen vol waren, begonnen de
mensen holen te graven. Ze vochten met elkaar om de
schuilplekjes. Een man kwam uit zijn hol en keek behoed-
zaam om zich heen. Af en toe stond er iemand klaar om hem
op zijn kop te meppen, zijn verslapte lichaam uit het hol te
trekken en er zelf in weg te kruipen. Het slachtoffer kwam
uiteindelijk weer bij kennis en kroop dan weg, beschaamd
omdat hij zelfs hier geen geluk had.

Snoeren waaierden uit vanaf Janes afgetapte stroom- en
kabelaansluiting, omhoog naar de bomen en naar alle holen
beneden, net als bergstroompjes.

Jane moest elke ochtend urenlang bakken. Ze maakte
lunchpakketten voor degenen die werkten, gaf geld voor
melk aan de rij kinderen die stonden te wachten op de ka-
ravaan schoolbussen, die hun routes inmiddels hadden ver-
legd, hield baby's vast zodat hun moeders konden douchen
in de portable douchecabines die ze had gehuurd. De mensen stonden als gelovigen voor haar in de rij, en Jane streelde
hun wangen om ze kracht te geven voor de dag die voor hen
lag. Pas daarna reed ze naar haar werk. Ze was teleurgesteld
toen haar baas voorstelde dat ze beter vanuit huis kon gaan
werken – de productiviteit was gedaald, omdat iedereen in
haar buurt bleef hangen. Ze hield van haar nieuwe baan.
Sterker, ze hield ervan om naar haar werk te gaan en haar
huis achter te laten.

'Er waren vandaag twaalf jarigen voor wie ik een taart moest
bakken. En op de een of andere manier geef ik les aan alle

kinderen uit groep zes. Ik hoop niet dat het nog veel langer duurt.'

'Vind je het niet leuk?' zei Greg, die zijn tanden bloot lachte. 'Ik vind het heel leuk.'

'Nee, dat vind je niet.' Jane zou het woord 'leuk' niet gebruiken. Ze vond het vooral uitputtend om zich verant- woordelijk te voelen voor zoveel mensen.

Meestal trokken ze elkaars kledingstukken pas uit in bed, afhankelijk van welk lichaamsdeel ze probeerden te bereiken. Maar nu kleedde Greg zich langzaam uit, pal voor het raam. 'Kom eens hier. Ik wil je graag hier laten komen.' De laatste tijd probeerde hij te laten zien dat hij er echt van genoot.

'Nee. Het bed is prima daarvoor.'

Ze kibbelden erover of het licht nu aan of uit moest en zij won, maar zelfs in het donker wist ze wanneer hij door het raam naar buiten keek en zijn spierballen aanspande.

'Het is zoveel beter nu,' zei hij hard en hij rolde haar in een andere positie. 'Vind je ook niet? Ik denk dat ik nu een betere minnaar ben. Vind je ook niet dat ik een betere min- naar ben geworden?'

'Je bent nog hetzelfde,' zei ze. Ze had niet zo ontmoedi- gend willen klinken. Hij maakte een gevoelige periode door. Door luid te kreunen probeerde ze zich te verontschuldigen.

Hij begon haar dichtstbijzijnde lichaamsdeel af te lebbe- ren – haar elleboog – en keek alsof hij in een vreemd land was, waar zijn gastgezin hem een smerig gerecht voorscho- telde. *O heerlijk!* achter een valse glimlach. Ook zij vond het niet lekker.

Ze ging op hem zitten, probeerde de deken over haar schouders te trekken, maar hij trok die weer naar beneden. Ze legde haar handen op haar borsten, zodat niet zichtbaar zou zijn hoe ze op en neer wipten. 'Er is niets veranderd,' fluisterde ze. 'En dat is goed.'

'O nee,' zei hij. En toen weer: 'Nee,' en zij dacht dat hij het niet met haar eens was. En toen zei hij: 'Já!' alsof hij zich had bedacht. En toen weer: 'Ja!' Hij kwam theatraal klaar, bokkend, waardoor ze bijna van hem af viel. 'Was dat niet ongelooflijk?' hijgde hij. 'Was dat niet ongelooflijk lekker voor jou?' Hij deed alsof hij verliefder was dan ooit tevoren, en daardoor voelde het als minder.

'Het was geweldig.'

'Laten we het nog een keer doen. Dan doe ik het nog beter.' Maar Jane klom van hem af.

Gregs gezicht betrok. 'Alsjeblieft,' jammerde hij en hij pakte haar vast.

Jane voelde de stilte van de luisterende mensen buiten. Ook de krekels waren stil, alsof zij ook luisterden.

Haar moeder stuurde haar een dunne paperback vol ezelsoren, met de titel *Mijn mastjaar*. De letters waren groot, het was duidelijk in eigen beheer uitgegeven. Op de omslag stond de auteur, Penny Smith, die dromerig in de verte keek; flitslichtdiamantjes flonkerden in haar ogen, echte zaten in een strak collier om haar hals.

Binnenin stonden korrelige foto's van Penny die taarten bakte, Penny die kinderen voorlas bij haar open haard, Penny die een glanzende gans had gebraden voor wat wel duizend man leek, verzameld in haar barokke eetkamer. Op alle foto's hingen mensen op haar meubels, bladerden door haar boeken, sliepen in haar bedden. Ze staarden haar aan met een agressieve liefde.

Jane was gul geweest, maar ze had ze niet verwelkomd,

noch was ze overdreven hoffelijk geweest. Ze zou het moeten zien als een uit de hand gelopen diner, waarbij iedereen te veel drinkt en moet blijven slapen. En in het ontnuchterende ochtendlicht zou iedereen zich uitgerust en verzadigd genoeg voelen om weer te vertrekken.

Ze liep naar de voordeur, haalde die van het slot, duwde hem open en ging naar bed.

In het begin waren ze schichtig; ze verscholen zich alsof ze niet geloofden dat haar uitnodiging gemeend was. Maar ze vond aanwijzingen dat ze 's nachts binnen waren geweest. Vieze mokken in de gootsteen. Nieuwe programma's opgenomen op haar recorder.

Als Jane een kamer binnenkwam, hing er beweging in de lucht. Alsof de kamer een minuut geleden nog gevuld was met mensen, die zich hadden verscholen toen ze haar hoorden naderen. Ze had het gevoel dat er een surpriseparty zou losbarsten, telkens als ze ergens het licht aandeed.

's Avonds laat geeuwde ze luid en zei ze: 'Ik ga naar bed,' tegen de ogenschijnlijk lege kamers. Als ze haar licht uitdeed, kwam het huis krakend tot leven.

Op een ochtend kwam ze beneden en trof een paar mensen aan rond haar keukentafel, smullend van een taart die ze de dag ervoor had gebakken. Ze verstrakten toen ze haar zagen, maar vluchtten niet weg. Ze staken hun vorken omhoog en zeiden: 'Lekker taartje.'

Jane knikte. 'Bedankt.'

Vanaf dat moment waren er mensen te vinden in elke kamer. Laat op de avond kropen ze bij elkaar, hun ruggen tegen de muren, en voerden ernstige gesprekken; ze lagen op de meubels, op de vloer, ze sliepen onder en op de eettafel. Hun gelach overstemde haar muziek en het nieuwsbulletin op de radio, waar ze zo graag naar luisterde. Ze geloofde dat ze kregen waar ze behoefte aan hadden, en dat zij hen had geholpen dat te krijgen. Maar haar huis was nu wel erg vol. De borden waren altijd vuil. Er was nooit een stoel vrij. De doucheputjes zaten vol haar. Ze kon niet schoonmaken zonder tegen iemand aan te stoten. En niemand die haar hielp. Elke ochtend moest ze mensen uit haar wasruimte jagen, waar de verliefde stelletjes zich terugtrokken. Ze moest het wc-papier meerdere keren per dag aanvullen. Alleen haar slaapkamer bood haar soelaas. Ze had een briefje op de deur geniet waarin ze om privacy vroeg en dat respecteerden ze godzijdank.

Op de avond die ze voor henzelf hadden gereserveerd, duwde Greg iedereen uit de keuken. 'Kom later maar terug,' zei hij. 'We willen graag romantisch dineren, omdat we zo verliefd zijn op elkaar.' De menigte dromde samen in de deuropening. Sommigen gooiden hem centen toe, iets wat als beledigend gold in het huis. Jane was bezorgd dat de mensen hem niet mochten. Ze voelde zich daardoor niet op haar gemak.

'Je moet aardiger voor ze zijn,' waarschuwde ze hem.

'Ik ben aardig.' Hij pakte een cent die op zijn schoot was beland en gooide die terug. Het ontlokte boegeroep aan de menigte.

Jane legde een verschroeide biefstuk voor hem neer en gaapte.

'Je moet meer slapen,' zei hij.

Ze rolde met haar ogen. 'Heb ik geen tijd voor.'

Ze aten. Toen Greg zijn biefstuk ophad, schoof Jane hem de rest van de hare toe. 'Waarom geef je dat niet aan hen?' Hij probeerde aardiger te zijn.

Ze stelde zich voor hoe ze zich op het vlees zouden storten, als honden, struikelend over lampen en tafels, elkaar verwondend. Ze zou de hele avond bezig zijn die wonden te verbinden. 'Nee, er is niet genoeg.'

Op dat moment slenterde een man de keuken binnen. Alsof het zijn eigen huis is, dacht Jane en ze liep rood aan van woede. Ze herkende hem. Hij woonde in een tent bij haar brievenbus en snuffelde in haar post. Ze had een papiervernietiger gekocht omwille van hem. Maar toen zag ze de mensen in de deuropening, die naar haar knipoogden. Een paar staken hun duim omhoog en ze besefte dat ze deze man graag mochten.

'Ga je dat nog opeten?' zei de man lijzig, wijzend op het restje biefstuk dat tussen Jane en Greg in stond.

'Wie denk je wel niet dat je bent?' zei Jane. Ze klonk vijandig, maar ze wilde het ook echt weten.

Hij had iets van een schobbejak over zich. Iemand die niemand zich in zijn leven zou wensen. Maar zijn ogen stonden lodderig en vriendelijk, als die van een hond. Hij stak zijn hand uit. 'Ik ben West.'

'Zo heet je niet echt,' zei ze en ze sloeg haar armen over elkaar.

'Nee, maar ik zou willen dat het zo was.' Hij glimlachte en onder zijn slordige baard bespeurde ze kuiltjes in zijn wangen. Ze bloosde bij deze ontdekking.

Greg stond op. 'Het spijt me, maar dit etentje is privé.'

West ademde diep in. 'En wat een verrukkelijk privé-etentje is het,' zei hij en hij gaf Jane een knipoog. 'Waarom wil je het niet delen?'

'Ik deel wel degelijk.'

'Maar doe je dat ook écht?'

219

Wat bedoelde hij met delen? Ze voelde zich een slachtoffer van het delen. Ze had haar boodschappenbudget verdrie-
voudigd en had toegegeven aan de verzoekjes om gesuikerde
cornflakes te kopen. Ze vertelde 's avonds verhalen rond het
kampvuur, voor de kinderen. Als ze sprak, maakten de kinderen die aan haar voeten zaten haar veters vast of los, of
ze tekenden klimoptakken op haar enkels. De kinderen gingen niet op tijd naar bed, omdat hun ouders te veel nipten
van de flessen whiskey, die zij voor hen moest kopen. De
ouders schuifelden wankelend door haar tuin en grijnsden
haar dronken toe. Maar andere keren wist ze dat ze hen had
ontriefd. Vooruitlopend op hun huwelijk had ze de afbetaling van Gregs studieschuld op zich genomen. Ze had hen
horen morren dat dit betekende dat er minder voor alle anderen zou zijn. Was dat wat West bedoelde? Moest ze ook
de schulden van alle anderen afbetalen?

Ze trok haar bord naar zich toe en sneed het vlees systhe-
matisch in stukken. Greg zei: 'Schatje,' om te protesteren,
maar toen stak West zijn hand omhoog en legde hem het
zwijgen op.

Ze kauwde, slikte elk stuk door. Ze zei: 'Mmmmm,' alsof
ze van elke hap genoot, hoewel ze dacht dat ze moest overgeven. West keek hoe haar mond bewoog, toen lachte hij
zelfgenoegzaam en knipoogde weer naar haar.

Later, in bed, zei Greg pruilend: 'Waarom heb je je biefstuk opgegeten?'

De biefstuk leek klem te zitten in haar maag, alsof ze een
golfbal had doorgeslikt. 'Jij wilde 'm niet.'

'Maar je gaf hem wel aan mij.' Greg draaide zich om en
deed het licht uit. 'Je gaf hem aan míj.'

Als Jane in dezelfde ruimte was met West, knipoogden

de mensen naar haar en maakten ze zoengeluiden. Aan de
keukentafel kreeg ze briefjes toegespeeld. *West vindt je leuk.*

'Maar ik hou van Greg,' zei ze dan.

Ze haalden hun schouders op. 'Maar vind je West dan niet
leuk?'

Ze vond hem wel leuk. Ze kon niet naar hem kijken zonder zich voor te stellen hoe zijn tong over haar huid gleed.
Ze vroeg zich af of hij een overdreven liefhebbende of een
egoïstische minnaar was. Ze hoopte dat hij egoïstisch zou
zijn. Aan zijn zelfgenoegzame lachje meende ze af te lezen
dat hij dat was en het idee stond haar aan dat iets geen compromissen vereiste, geen speciale vriendelijkheid, geen of-
fer. Alleen maar nemen. Ze vond haar liefdestaken moeilijk
te combineren met alle andere verplichtingen, zoals koken,
schoonmaken, tuinonderhoud. Toen Greg een hele week op
zakenreis ging, voelde ze zich om tal van redenen opgelucht.

West werd in die week een vaste verschijning in huis, waar
zoveel meer te halen viel dan alleen de post. 's Avonds maakte hij muziek, hij speelde liedjes die hij aan de piano had geschreven. Stiekem hield Jane ervan om hem die liedjes te
horen spelen en af en toe vermoedde ze dat hij ze voor haar
speelde. Eentje was zeker voor haar geschreven, want als
refrein zong West keer op keer haar naam. Het deuntje sijpelde de keuken binnen, waar ze ingeklemd zat tussen twee
breisters, die haar bij elke steek met hun ellebogen en hun
breinaalden porden. Ze zag hoe de rug van West vol emotie
heen en weer zwaaide. De woonkamer zat vol mensen, die
allemaal achter hun hand lachten en 'oooo' zeiden, alsof ze
zojuist een baby hadden gezien. Toen West klaar was, bleef
iedereen stil. Op de bergrug boven haar huis hoorde ze de
holle echo van geweerschoten. Nachtjacht. Of misschien

het mastjaar van iemand anders, dat uit de hand liep.

Jane liep de trap op naar haar slaapkamer en iedereen keek haar na. Ze gleed in bed en deed het licht uit. Even later kwam West binnen en gleed naast haar. Hij mocht doen wat hij wilde, maakte ze hem duidelijk. Ze voelde zich tegelijkertijd gebruikt en gul. Naderhand vroeg ze of dit nu was wat hij met delen bedoelde.

West trok permanent bij haar in. Hij bracht niets mee. Als eerste actie zette hij Gregs spullen op het gazon, waar ze werden doorzocht door de menigte en uiteindelijk door een huilerige Greg. West maakte de post open, betaalde de rekeningen, beantwoordde brieven. Jane had niet verwacht dat hij hulpvaardig zou zijn, maar dat was hij wel. Hij zette de afbetaling van Gregs studieschuld stop. Ze had door dat hij dat deed, maar ze deed alsof ze er niets van wist.

In het huis gaven de mensen haar schouderklopjes.

'We vonden hem toch al niets,' zeiden ze over Greg. 'Hij was zo behoeftig. Hij deed gewoon te hard zijn best.'

Jane nam niet de moeite om te vertellen dat hij niet altijd zo was geweest. Hij was best leuk geweest; het was fijn geweest, gemakkelijk.

Haar moeder verwelkomde het nieuws. Ook zij had hem nooit leuk gevonden.

'Als hij dan zo vreselijk was,' vroeg Jane, 'waarom zijn al die mensen dan hierheen gekomen?' Nu haar verloving van de baan was, zouden ze nu dan weggaan? Dat had ze gehoopt.

'Och liefje, je hebt veel meer te bieden dan een of andere jongen en een baantje. Misschien schuilt er wel een geheim in je. Misschien zit er iets in je wat op uitbarsten staat.'

Dat idee sprak Jane wel aan.

Jane had niet gedacht dat ze veel van West zou willen. Maar hij was evenwichtig en rustig en ze merkte dat ze meer en meer op hem ging rekenen. Naarmate haar gevoelens voor hem toenamen, groeide ook de menigte. Die verdubbelde zich en verdrievoudigde zich daarna. Het oude huis huiverde onder het gewicht. De hele nacht lang waren er feesten. Soms duurden ze tot in de ochtend. De kussens van Janes bank waren geplet, al haar curiositeiten waren verdwenen uit haar curiositeitenkabinet, al haar boeken van haar boekenplanken. De mensen dronken en maakten ruzie om niks. Regelmatig braken er vechtpartijen uit. Mensen raakten gewond. Ambulances reden af en aan. De sirenes gilden op en neer door haar straat, een ogenschijnlijk eindeloze stroom van extreme paniek.

's Nachts lagen Jane en West fluisterend onder hun lakens, zodat niemand hen zou horen.

'Waarom ben je bij mijn brievenbus komen wonen?' vroeg Jane hem op een keer.

'Ik had gewoon het gevoel dat ik dat moest doen.'

'Ik ben blij dat je het hebt gedaan.' Ze voelde dat hij glimlachte in het donker.

West viel altijd als eerste in slaap, terwijl Jane wakker bleef, hem vasthield of zijn hand vasthield en luisterde naar het nachtelijke tumult in haar huis. Het enige wat Jane wilde, was een fijn, rustig etentje met West om hem beter te kunnen leren kennen, zonder dat ze voortdurend werden aangestoten door al die lichamen, die hun liefde plaatsvervangend uitleefden. Maar die mogelijkheid leek verder weg dan ooit.

Op hun filmavond was er geen plaats op de bank voor Jane en West. Ook de vloer lag vol mensen, als haringen in een ton. Ze gingen in een hoekje staan, hielden hun biertje en de popcorn in hun handen. Mensen grepen handenvol popcorn uit de schaal, totdat die leeg was. Ze veegden hun vette handen af aan haar broek.

Een grote man in Schots geruite kledij had de macht over de afstandsbediening. Er stond een programma over huizenverbouwingen op.

West probeerde zijn overwicht te laten gelden. 'Het is filmavond.'

De grote man zei: 'Het is vanavond *Ace the Wrecker*-marathon.'

Anderen riepen om het nieuws, quizjes of detectives die ze wilden zien.

West ging ertegenin. 'Maar ik heb deze avond gereserveerd. Het is filmavond.'

Iedereen keek naar Jane, die het beslissende oordeel moest vellen. 'Laat mij erbuiten,' snauwde ze.

De grote man joelde: 'Je kunt wel wat hulp gebruiken hier. Ik kan een aanbouw voor je bouwen, in ruil voor wat ...' Hij maakte een schunnig gebaar.

Jane liet Wests hand los en duwde zich door de menigte. De menigte duwde terug. Ze stapte over hoofden en handen reikten naar haar, grepen haar enkels, haar knie. Ze probeerden haar hogerop vast te pakken. Ze trokken aan haar trui, grepen haar riem. Armen werden om haar middel geslagen. Er werd aan haar haar getrokken. Krabbend vocht ze zich een weg naar buiten.

Toen ze in haar bed gleed, ontdekte ze vier kinderen, die zich onder het dekbed hadden verscholen, een bolling waarvan zij dacht dat het opgerolde lakens waren. De kinderen grepen haar vast en noemden haar mammie. Ze kon zich niet loswurmen, dus bleef ze als verlamd liggen, terwijl ze dreinden. West kwam binnen, pelde de kinderen van haar af en joeg ze de kamer uit.

Toen West en zij die nacht vrijden, zag ze schimmige figuren in de deuropening. Toen ze probeerde te slapen, voelde ze hun adem door de lakens heen op haar lichaam.

Het huis kraakte de hele nacht; mensen stampten door de gangen, kamer in, kamer uit, deuren werden dichtgesmeten, er werd gelachen, geschreeuwd, gevochten. Muziek beukte, mensen neukten en kreunden, glaswerk brak. Jane beefde. West hield haar vast en streek over haar haar.

'Nog even volhouden, meid,' zei hij. 'Het is nog maar juli.'

Ze wendde zich af en huilde.

Jane werd alleen wakker. Ze rook spek en wist dat West ontbijt voor haar had gemaakt. Hij deed altijd kleine, zorgzame dingen.

Hij zat aan haar keukentafel, evenals veertig anderen. Er was geen plaats meer voor haar. Mensen zaten op het aanrecht, hun hakken bonzend tegen haar kastjes. Alle gaspitten stonden aan, de magnetron zoemde, de oven was loeiheet. Zelfs boven een vuurtje in haar open haard werd iets gekookt.

West keek naar Jane van achter de krant, die er rafelig en versleten uitzag, alsof hij die ochtend al honderd keer was gelezen. Voor hem stonden twee ontbijtjes. Hij had op haar gewacht en nu hij haar zag, pakte hij een reepje spek en hield dat als een snor onder zijn neus, hoewel hij een volle baard had. Een verlangen zoemde in haar en ze zei: 'Wat ben je toch schattig,' maar het werd overstemd door al het ochtendlawaai. Hij glimlachte, maar ze wist dat hij haar niet had gehoord.

Bij de broodrooster klonk geschreeuw. Meer stemmen mengden zich erin. Iets over kaneeltoast. Een handgemeen barstte los. Mensen sloegen op de vlucht voor het gevecht en Jane werd zo gemangeld door de lichamen om haar heen, dat haar voeten loskwamen van de vloer. Ze gilde. De mensen direct om haar heen deinsden terug, waardoor ze op haar knieën viel.

Ze was West uit het oog verloren. Ze hoorde hem roepen, zijn stem bezorgd maar ver weg. 'Is alles goed met je?'

Jane kon niet antwoorden. Stompend baande ze zich een weg door de menigte, met de bedoeling de mensen pijn te doen, en toen ze eenmaal in haar slaapkamer was, duwde ze alle meubels voor de deur, zelfs de rieten wasmand, met daarin nog maar één sok. Iemand had al haar vuile was gestolen.

Rond het middaguur lukte het West om de slaapkamer binnen te dringen. Jane zat bewegingloos rechtop in bed. Hij naderde voorzichtig, alsof ze kwetsbaar of gevaarlijk was. Hij probeerde haar te omarmen.

'Raak me niet aan,' zei ze kil.

Zijn ogen werden groter. 'Waarom niet?' Weer probeerde hij haar te omarmen.

'Ik wil niet dat mensen me aanraken.'

'Maar ík ben het,' zei hij, zijn stem zacht en verward. 'Ik ben anders.'

Hij was anders. Dat was het probleem. 'Je moet weg,' zei ze.

'Maar ik kan je toch helpen? Laat me je helpen.'

'Helpen? Jij kunt me helemaal niet helpen. Ik hou niet eens van je.'

'Dat is niet waar,' zei hij, vol ongeloof.

'Jawel,' zei ze, nu in tranen. 'Rot op.'

'Jij houdt ook van mij. Dat kan ik zien.' Hij probeerde overtuigd te klinken, maar schudde verbijsterd zijn hoofd.

'Jij bent fout. Deze hele wereld is fout. Ik heb je niets te geven. Dus ga weg.'

'Schatje, dat geloof je zelf toch niet? Dit is niet wat je wilt.'

'Je hebt geen idee wat ik wil.'

'Vertel het me dan.'

Maar ze wist niet wat ze moest zeggen. Ze voelde een sterk verlangen om alleen te zijn, maar ze wist niet hoe lang dat gevoel zou duren. En ze kon dat verlangen niet koppelen aan wat ze werkelijk wilde. Ze zei niets.

West streelde haar wangen, maar het lukte hem niet haar achter haar verharde ogen vandaan te halen, dus pakte hij met tegenzin zijn tas – een tas die hij niet bij zich had gehad toen hij aankwam – vol spullen die niet van hem waren, en vertrok.

Het nieuws verspreidde zich snel door het huis, naar de tuin, de bomen in en onder de grond. Gesprekken in de woonkamer vielen stil. Mensen maakten zich snel uit de voeten, als ze Jane zagen naderen. Voor het eerst in wat voelde als jaren kon ze zich een hele dag bewegen zonder langs de schouder van iemand te schuren.

Toen het eten op was, kocht ze geen nieuw. Mensen scharrelden in haar vuilnis, zochten naar restjes in de tuin. De honger kwam. Rafelige processies vertrokken op alle uren van de dag, oorverdovend stampend door de straat. Mensen drongen erop aan bij Jane om voedsel te kopen om hapjes en lunchpakketten voor onderweg te maken, om hun buskaartje te betalen, om ze naar het vliegveld te rijden. 'Dat ben je ons verschuldigd,' zeiden ze, maar ze gaf hun niets. Ze gooiden centen naar haar en raapten die vervolgens bij haar voeten op. Ze zouden ze nog nodig hebben.

'Mam, ze gaan weg.'

'Wat heb je gedaan?'

'Ik heb West eruit geschopt.'

'Och schatje, waarom toch?'

'Ik weet het niet. Ze stelen mijn spullen.'

'Je hebt genoeg spullen.'

'Het was te veel allemaal. Ik kon er niet meer tegen.'

'Waarom verbaast me dit in het geheel niet? Je hebt geen doorzettingsvermogen. Heb je nooit gehad.'

'Mam.'

'Jane. Wat is een jaartje nu helemaal? Je was gelukkig. Zij waren gelukkig.'

'Ik was niet gelukkig.'

'Nou, is dit dan wat je wilde?' zei haar moeder. 'En wie is er nu wel gelukkig?'

Jane vond een naakte vrouw, die onderuitgezakt in haar douche lag. Ze lag met open mond in de douchestraal en het water stroomde uit haar pruilmond langs haar kin en haar borsten alsof ze een fonteincherubijntje was. Jane legde haar op de tegelvloer, waar ze dagenlang uitgestrekt bleef liggen, amper ademend. Uiteindelijk sleepte de vrouw zichzelf de trap af, waarbij ze een spoor van roestbruine urine achterliet. Jane hoorde de hele nacht hoe de vrouw zich voortsleepte.

De laatste mensen kropen op handen en voeten weg, overvallen door een plotseling gebrek. Hun ogen waren vergeeld, hun huid was vlekkerig. Achter de bank vond Jane twee lichamen, hun grijze, verwarde gezichten bedekt met een laken. Ze herkende hen. Een nieuw stel. Iets wat hier was begonnen. Ze waren te lang gebleven, wellicht hadden ze geloofd dat het tij zou keren.

Ze sleepte de loodzware lichamen naar een van de lege holen en gooide ze erin. Ze ketsten als appels op de grond.

De holen in de tuin zakten in, nu de gezinnen ze niet meer stutten. De spijkers van de boomhutten begonnen te roesten en de wind rukte een paar planken los van de takken. 's Nachts hoorde Jane het gekraak van bewegende delen. Haar huis kermde op de grond die zich zette en de vloeren namen nieuwe, angstaanjagende contouren aan. De nacht gloeide groen achter haar ramen. Haar kamer voelde bevuild.

Ze was alleen. Maar zó alleen, dat had ze niet bedoeld.

En zo eindigde haar jaar: af en toe kwam er iemand langs, meestal een man die wat tegenslagen te verduren had gehad en die iets had gehoord over een vrouw die haar buitensporige hoeveelheid geluk wilde delen. Ze verwelkomde hem dan, kocht dingen voor hem, kookte voor hem, liet hem zijn gang gaan in haar bed of waar hij ook maar wilde en hij vond het allemaal heel troostend. De man kreeg weer hoop dat zijn leven ten goede zou keren. Maar uiteindelijk besefte hij dat er niets goeds te vinden was in zo'n desolaat huis. Dan bleef hij nog een week, at haar maaltijden en sliep met haar, omdat zij het zo gemakkelijk maakte.

En dan werd Jane weer alleen wakker. Ze doorzocht haar huis, in de hoop de man te vinden in een donkere kast, onder een bed, op al die plekken waar ze eerder zonder moeite mensen had aangetroffen. Maar het enige wat ze ooit ontdekte, was dat er iets weg was. Een kistje met juwelen van haar grootmoeder. Haar chequeboekje. Stereoapparatuur.

Ze hield bij welke spullen dat jaar van haar waren gestolen. Het dikke logboek lag zwaar op de keukentafel. 's Ochtends ging ze erachter zitten, de zonsopgang liet het houten tafelblad glanzen als het oppervlak van een vijver, dat lichtjes rimpelde door haar onvaste ademhaling en haar angstige knieën, de nerfstructuur in de lengterichting uitwaaierend als de sporen van schaatsenrijdertjes op het water. En dan wachtte ze, tuurde naar de straat en trommelde met haar nagels op tafel, terwijl het geroffel weerkaatste door het huis, galmend in de lege kamers, voordat het uiteindelijk als bladeren neerdaalde in haar schoot.

Het woud der Overbodigen

Ik krijg te horen dat ik Overbodig ben van een man in een pak. Dit overkomt alleen tienjarige jongetjes, en dan maar een paar. Mijn moeder huilt, tranen rollen op zijn pak, maar de man vertrekt geen spier. Hij zegt kortweg, terwijl ze snottert: *Ma'am*, wilt u dat de Staat voor uw jongetje een uitzondering maakt?

Ik ken dit trucje natuurlijk van school, maar mam kronkelt en haar ogen worden van dankbaarheid zo groot als schoteltjes. O, kunt u dat doen?

Dus hou ik haar arm vast om haar te ondersteunen, want het is duidelijk dat ze deze dubbelklapper niet verwacht.

De Staat maakt geen uitzonderingen.

De volgende dag zet ik mijn bezittingen aan de stoeprand en de Niet-Overbodige jongens komen mijn goede speelgoed halen – mijn fiets, mijn schaatsen, mijn honkbalhandschoen – de dingen die iedere tienjarige graag wil hebben; hun moeders zoeken naar kleren die passen en warm zijn, schoenen in de juiste maat. Mijn stapel is niet de enige in onze straat.

De bomen zijn afgeladen met vogels en om de tijd te doden gooien we stenen naar ze, drentelen heen en weer als ze versuft en knipperend met hun ogen op de grond zitten. Daar laten we ze met rust. Als ze eenmaal weer zijn opgestegen en op de takken zitten, proberen we ze opnieuw te raken. Ik weet dezelfde vogel drie keer uit de boom te gooien en dat stemt me vrolijk. Het is een lastig spel, maar ik ben er goed in.

Tijdens het avondeten laat mijn vader zijn bruine drankje ronddraaien in zijn glas, kijkt naar mijn moeder met een blik op zijn gezicht die ik niet ken. Misschien weet hij niet hoe hij zich moet voelen. Hij haalt zijn schouders op, alsof hij daarmee iets wil zeggen.

Mijn moeder gooit een lepel naar zijn hoofd en schreeuwt. Háár blik ken ik maar al te goed.

Mam, roep ik. Het is niemands schuld.

Het gezicht van mijn vader betrekt.

Ik zeg: Het is willekeurig.

Mam zegt: Willekeurig, écht niet.

Ik heb haar nog nooit zo lelijk gezien.

De volgende ochtend stap ik in de bus. De rit verloopt stemmig. We kijken uit de ramen, zien onze stad verdwijnen. Mensen op weg naar hun werk, meisjes in mooie jurkjes in de rij voor een school. We horen geschreeuw van jongens die football spelen in de verte. Jongens zoals wij nooit zullen worden. Daarna schieten we langs vuilnisbelten, maïsvelden, koeien en silo's, waterbekkens en velden vol boomstronken, nieuwe moerassen. We rijden urenlang door en velen van ons vallen in slaap.

We schrikken wakker bij het Verwerkingsknooppunt, pal in het midden van een moddervlakte, vol bussen die duisternis uitbraken, bussen vol jongens zoals wij.

Ik moet een dunne papieren kiel aantrekken. Mijn schoenen nemen ze af. Ik wacht uren, die nog langer lijken te duren, in een rij die kronkelt en samentrekt, terwijl we vechten om genoeg ruimte te hebben om te ademen. Jongen na jongen, stoïcijns of huilerig, glijdt de Stortkoker in. Aan deze kant is de Stortkoker gewoon een gat, dat een zuigend geluid produceert. Maar verderop is het een lange, kronkelende pijp die naar het Verbrandingscentrum voert. Dat is het doel ervan.

Vooraan in de rij zit een verwerker in een witte jas achter een rommelig bureau, zijn haar waait telkens omhoog door de zuiging van de Stortkoker. Hij houdt een klembord vast met daarop een dikke stapel formulieren, en als ik mijn naam zeg, bladert hij door de papieren en noteert de tijd in een kolom waar NAAR STORTKOKER boven staat.

De verwerker zegt: Stap in de Stortkoker, alsjeblieft.

Ik herinner mezelf eraan dat dit mijn status is, dat dit gewoon is hoe de dingen gaan. Ik zeg tegen mezelf: *Je hebt een fijne tijd gehad*, zelfs: *Misschien is het beter, zo*. Ik sta mezelf toe nog één keer lekker diep adem te halen, zo diep dat mijn spieren pijn doen, de manier waarop je ademhaalt voordat je in een meer duikt – de ademtocht waardoor je je helemaal levend voelt – en dan glij ik in de Stortkoker.

Ik val in de richting van het gebrul en de toenemende hitte van de Verbrandingsoven, en probeer niet aan de dingen van het leven te denken, waardoor ik er alleen maar meer aan denk. Het is geen eerlijk spel. In de wanden zitten steeds meer putten en vouwen. Ze worden warmer. Net als ik niet probeer te denken aan mam die koekjes bakt, sjees ik hard door een bocht, bots tegen de zijkant en kom stil te liggen. Ik hoor een zuigend geluid en dan een *plop* achter me; een andere jongen is de Stortkoker binnengegaan. Ik probeer mezelf vooruit te trekken, om de gang naar mijn dood te bespoedigen. Maar ik zit vast. Ik voel koude lucht kriebelen op mijn been en besef dat mijn voet buiten de Stortkoker hangt. Ik tast rond. Het lukt me mijn vingers naar buiten te wurmen en daarna mijn arm. Meer koude lucht blaast tegen mijn gezicht, vanaf de plek waar mijn voet en arm nu zijn. Ik zit vast in een gat; een barst in de huid van de Stortkoker. Zenuwen gieren door mijn maag. Achter de bocht laait de loeiende wind weer op, trekt aan mijn lichaam. Ik hoor hoe de volgende jongen aan komt suizen, terwijl ik mijn andere been door het gat steek, en dan de rest van mijn lichaam. Ik denk amper na over wat ik doe – dat ik me verzet tegen mijn lot, mijn status, de Staat – en de consequenties daarvan. Ik heb alleen een gevoel vanbinnen, iets van: *Ik win.*

En dan heb ik het opeens koud en zit ik in een stinkende, papperige modderkuil onder de Stortkoker. Het is pikdonker. Een paar witte ogen knippert naar me en ik hoor: Ssst. Veel tanden glimlachen. Een jongensstem fluistert: Kun je dit geloven? En we vinden elkaars handen in het donker, knijpen elkaar, extatisch. We kúnnen het niet geloven.

We zijn aan de Stortkoker ontsnapt! We zijn niet dood!

We wachten in de modder tot het gegons van de Stortkoker wegsterft. Het Verwerken zit erop. Het is nu nog moeilijker elkaars ogen en tanden te zien, alsof de nacht nog donkerder is geworden. We gaan op het geluid van kikkers af, en gaandeweg zijn we met meer. We kruipen onder een hek door en rennen door donker gras, rennen op een nog donkerder iets af: een woud.

We kappen ons een weg, proberen te navigeren op de sterren, volgen een rivier, eten wat we vinden: kleine besjes en olieachtige noten, die we openkraken. We zingen de liedjes die we op school zongen. We vertellen moppen. Als onze ogen aan het donker zijn gewend, gooien we stenen naar rondsluipende dieren. Een eekhoorn legt het loodje. We beseffen hoe hongerig we zijn. We villen hem, eten het vlees rauw. We kotsen.

De zon komt op en een jongen roept: Hierheen! Een kamp! Ik heb een kamp gevonden!

Hij rent vooruit en we rennen achter hem aan, over een zanderige, modderige rivieroever en tussen de bomen door, tot we op een open plek aankomen.

Stukken schilferend, verkoold hout liggen in een kring van zwarte stenen. Een primitief bouwsel gaat schuil onder een deken van groene takken.

We lopen wat rond, betasten dingen – botten van dieren, kerfjes in bomen om verstreken dagen bij te houden. Een zwarte soeppan en een lepel, een scherp mes, hertenhuiden die vastgespijkerd te drogen hangen.

De jongen die het kamp heeft gevonden houdt een stok omhoog en krijst: Dit is een pijl!

We kruipen bij elkaar en kijken nerveus naar de dichte bebossing die ons omringt. We tellen en zien dat we met z'n veertienen aan de Stortkoker zijn ontkomen. Veertien jongens, naakt en glinsterend van de modder.

We moeten allemaal een maatje uitkiezen, zegt een jongen. Dit vinden we een goed idee en we vormen duo's. Ik hoor bij een jongen die George heet. De twee Michaels vormen een duo, en dus noemen we de schriele Kleine Michael. Carl is het grootst en hij vormt een duo met Alfred, de jongen die het kamp ontdekte en bijna even groot is. Hij is ook gespierd, gespierder dan alle andere jongens. Omdat ze groot en sterk zijn, is het gemakkelijk ze voor de leiders te houden. Ryan en Brian vormen een duo, net als Joey en Davey, Fred en Frank, Steven en Gil.

Kleine Michael vraagt: Wat is dit voor een plek? Hij klinkt angstig, als een meisje.

Het zal wel een verlaten jagerskamp zijn, zegt Alfred. Het is vast erg oud.

Denk je dat wij de eerste jongens zijn die uit de Stortkoker zijn ontsnapt? vraagt Carl.

Lijkt me niet, zeg ik en ik denk aan dat gat, waarin mijn voet verstrikt raakte en dat voorkwam dat ik verder gleed.

Volgens mij wel, zegt Alfred. Anders zou hier een heel dorp zijn vol jongens zoals wij. Maar ouder.

Daar zit wat in. Waar zouden jongens als wij anders heen moeten? Overbodigen zijn nergens welkom.

Op dat moment beseffen we dat we hier altijd zullen moeten blijven. Het wordt stil.

Wat ben je aan het snijden? vraagt Carl aan Alfred.

De pijl, zegt Alfred en hij houdt hem omhoog. De punt is stomp. Ik maak 'm scherper.

De punt is nu erg puntig. Hij gooit de pijl naar een boom en die zinkt diep weg in het hout. Hij lacht. Alfred heeft een klein lachje.

Er is geen boog, zegt hij, maar ik gooi 'm gewoon en dan raak ik wel iets vlezigs. Hoe moeilijk kan het zijn?

Alfred verdwijnt in het woud en voordat de pan met water kookt, kom hij terug met een hertje, klein als een reekalf, maar zijn vlekjes al ontgroeid. Hij maakt het schoon, vilt het en hakt het in brokken, en wij spietsen het vlees op afgebroken takken en roosteren het boven het knetterende vuur.

Als we vol zijn en warm rondom het vuur liggen te dromen, zeg ik: Wij zijn gezegende jongens.

De anderen roepen slaperig: Hoera! en Alfred glimlacht naar me in het flakkerende oranje licht.

Het leven is geweldig met alleen jongens!

Niemand zegt dat we ons moeten gedragen en toch doen we dat. Op onze eigen manier dan. Als we het op onze heupen krijgen, gaan we het woud in en trekken we grote takken van nog levende bomen. We kunnen daarmee tegen de flank van een dood hert slaan en krijsen, en we hoeven niet uit te leggen waarom, want niemand vraagt ons waarom. We weten allemaal waarom. We zijn jongens. We keilen een vogel uit een boom en draaien 'm zijn nek om, en dan gaan we weer verder, op naar het volgende. We vragen ons niet af wat die vogel ons ooit heeft misdaan. We stichten brand en kijken hoe het vuur raast en later, als we ons beter voelen, doven we het weer. En wat denk je? Op die verbrande plekken schieten de paddenstoelen omhoog, en die kunnen we weer eten.

We raken bedreven in het foerageren. We hebben bergen nootjes en zetten vallen om de eekhoorns te vangen die erop afkomen. We verzamelen vogeleieren en eten ook de moeder op. Een paar jongens zijn geweldige houtsnijders en om hun pijlen af te schieten, maken we bogen van jonge boompjes, we gebruiken gedroogde pezen als touw. We hebben een fijn, goed georganiseerd kamp en als we naar onze moeders verlangen, hebben we elkaar. Geen enkele jongen maakt het een van de andere jongens moeilijk.

Het is volop zomer en dat betekent besjes. De boompjes worden hoger en we verschuilen ons ertussen als we jagen. We spelen spelletjes. Bekende spelletjes, maar ook een paar nieuwe, met extra leuke onderdelen. Davey bedacht touwtrekken in verschillende rondes. Ryan bedacht een jacht door het woud, met daarin tikkertje, verstoppertje en apenkooien. Iedereen heeft een spel en we spelen ze allemaal. Niemand heeft een favoriet spel.

Elk spel heeft regels, die we zo complex mogelijk maken. Op dat punt begrepen onze moeders ons niet – jongens houden wel van regels. Maar regels moeten ook weer een soort spel zijn.

Ergens aan het einde van de zomer maakt Alfred een hindernisbaan. Die gaat zo: waad door de modderpoel, zwem dan naar de overkant van de rivier, waar hij een doolhof heeft uitgehakt in het gras, dat manshoog is opgeschoten. Eenmaal uit de doolhof moet je onder een hek van doornige takken dat hij heeft gevlochten door glijden en dan zo snel mogelijk naar de boom met de hertenhuid rennen en die aanraken. Op dat moment eindigen de regels. Als je snel bent, kun je winnen door hard te rennen. Als je sterk bent, kun je een andere renner tackelen. Als je slim bent, wacht je tot een sterke jongen een snelle jongen tackelt en terwijl zij met elkaar worstelen, kun jij winnen.

De eerste keer dat we de hindernisbaan afleggen, eindigen we extatisch en kapot onder de boom.

Wanneer heb je dit allemaal gemaakt? hijgen we.

Alfred zegt: Soms kan ik niet slapen.

De bladeren verkleuren en beginnen te vallen; we weten dat de winter eraan zit te komen. Met grove steken naaien we huiden aan elkaar om ons warm te houden. Overal schieten paddenstoelen op; we vechten met dieren om nootjes. De herten snuffelen als stofzuigers door de bladeren. Al de dieren die we zien proppen zich vol, maar veel andere zijn

verdwenen, zitten in hun holen. Alle lekkere besjes zijn op.
Brian ontdekte een appelboom, diep in het woud, en plukte
hem kaal. We aten appels tot we misselijk waren, begroeven
toen de rest, als voorraad. Alfred zegt dat die appelboom betekent dat daar ooit een boerderij is geweest.

Op een ochtend worden we wakker onder een laagje
sneeuw. Het vuur is uitgegaan door de smeltende vlokken.
Het rookt en sist. We kloppen de sneeuw van onze slaap-
vachten en zwijgen. We kennen de winter alleen van thuis.

Onze ingeroosterde dood ligt al maanden achter ons, en
nu zijn we bijna verhongerd.

We hebben onze noten, appels, zaden, paddenstoelen
en het gedroogde vlees van herten, eekhoorns, konijnen en
vissen opgegeten. We breken stukken ijs uit de rivier voor
het water. We sabbelen op boomschors, kauwen op bladeren die al door wormen zijn kaalgevreten. We kunnen onze
vingers rond botten slaan waarvan we niet wisten dat we ze
hadden. Dit is ons nieuwste spel, want we zijn te moe om te
rennen.

We graven in de sneeuw, op zoek naar dierenbotten om
te koken. We hebben vast wel wat verspild toen we hier net
waren, nog zorgeloos, en restjes lieten wegrotten op de bosgrond. We dringen steeds dieper in het woud, dagen van ons
kamp verwijderd, we slapen in de openlucht zodat we nog
verder kunnen komen. Op een dag zien we een spoor dat we
volgen, tegen een berg omhoog, waar we een hert zien ploe-
teren in de sneeuw, dat we met onze blote handen doden,
zelfs al hebben we wapens. We denken er gewoon niet over
na. Maar het is een uitgehongerd hert, bijna zonder vlees, en
het geeft ons kracht voor amper een week. Elk wezen is als
een geest. We kunnen het einde van het woud niet vinden

om het te verlaten, en we kunnen het niet verlaten omdat we nergens terechtkunnen.

Davey ligt opgevouwen rond een boom; zijn nek is verdraaid, alsof hij iets midden op zijn rug bekijkt. Hij is dood.

Misschien klom hij in de boom en is hij gevallen.

Misschien zat hij een dier achterna en zag hij de boom niet.

Wie kan het wat schelen wat er is gebeurd? zegt Alfred. Wat gaan we met hem doen?

We staan rond het lichaam, schoppen gaten in de harde sneeuw.

Een paar jongens stompen schuldbewust in hun maag. Hun magen suggereren iets oneerbaars.

George zegt: Niet doen. Niet eens aan denken.

Maar hij ís dood, zegt Michael.

George zegt: Kunnen we elkaar niet gewoon feliciteren dat we aan de Stortkoker zijn ontsnapt? We hebben ons best gedaan hier, maar het werd te moeilijk?

En de dood gewoon laten komen, zonder ertegen te vechten? gilt Brian.

Ik wil hem uitjouwen, maar weet me te beheersen.

Alfred zegt: Overlevers zeggen altijd ja.

Maar we hébben het overleefd, zegt George bijna fluisterend, terwijl hij staart naar Daveys openhangende mond met daarin zijn slappe, zwarte tong. We horen niet eens meer in leven te zijn.

Als wij het niet doen, zeg ik bibberend, doet een of ander dier het wel. Wat is het verschil dan helemaal?

Sommige jongens knikken me toe, en ik ben trots en meteen daarna schaam ik me weer.

We slepen Davey terug naar het kamp, maar George blijft achter in het woud. Het is een mooie dag om te wandelen, zegt hij. De zon schijnt.

Het is geen heerlijke maaltijd en dat lijkt passend voor de arme Davey. We zitten vol, maar voelen ons niet echt beter.

We roken wat van hem overblijft, hangen het vlees in de bomen om het te bewaren. We verzamelen zijn botten – daarvan koken we apart bouillon. We maken ballen van de bloedrode sneeuw om later op te zuigen. De hele tijd houden we onze maag vast en huilen we. Na zoveel uithongering veroorzaakt het plotselinge voedsel enorme pijnen.

George komt bij maanlicht terug. Ik zie hoe hij aarzelend aan de restjes knaagt, terwijl de anderen slapen.

Na een week is Davey op en zijn we weer hongerige jongens.

Wat moeten we nu? zeggen we ernstig. We kijken elkaar aan en hopen dat iemand ter plekke doodvalt.

Alfred antwoordt, al even ernstig: Zoveel mogelijk jongens moeten overleven om deze plek draaiende te houden, voor alle Overbodigen die nog komen.

We knikken. We hopen het allemaal te overleven.

Hij zegt: Het was fout, wat de Staat ons aandeed. Heeft niet iedere jongen het recht om zijn eigen leven te verdienen? Alfred staat op een grote zwerfkei. Hij ziet er officieel uit.

Weer knikken we, sommigen van ons heviger dan anderen. Ik moet aan mijn moeder denken, en aan haar verbitterde gezicht op het laatst.

Alsjeblieft, Alfred, zegt George. Zeg alsjeblieft niet wat je wilt gaan zeggen. Maar hij hoeft het niet te zeggen. We wéten het allemaal.

Alfred stapt van de steen en loopt tussen ons door. Hij raakt onze schouders aan. Die zijn niet meer dan botten. Zoveel mogelijk jongens móéten overleven, herhaalt hij. Onze levens zijn waardevol, of niet soms? We moeten een kans krijgen ons leven te verdíénen. Hij steekt een vuist omhoog. We moeten ons leven verdienen in een competitie. De verliezer heeft zijn recht op leven niet verdiend, en door te verliezen geeft hij de rest van ons nog een kans. Hij wacht even. En in ruil daarvoor geven we de verliezer wat de Staat hem niet gaf – een eerlijke dood. Wat kun je je als jongen nog meer wensen? Het is de enige rechtvaardige manier.

Hij stapt weer op zijn stenen verhoging. Laten we vechten voor ons leven, zoals het bedoeld is. We zullen de Staat laten zien wat het betekent om eerlijk en rechtvaardig te zijn.

Alle jongens knikken. We hebben honger. We voelen ons vreselijk. We willen iets anders voelen. Dus doen we onze ogen dicht en gooien onze stokjes. Alfred telt ze. We zijn er allemaal voor. Zelfs George.

We besluiten een wedstrijd door het woud te houden en markeren het parcours met botten, die we aan de bomen hangen. Het wordt gezien als een eerlijk parcours, want soms is het moeilijk voor de grote jongens en soms voor de kleine jongens. Er zijn houtstapels om overheen te klimmen, dus met snelheid alleen win je niet, en verwarrende wendingen en valse afslagen, dus het helpt om slim te zijn.

We verzamelen ons bij het startpunt, schudden en rekken onze armen, benen. We zijn zenuwachtig, sommige jongens huilen. Ik niet. Ik ben een foerageur en ken het woud goed. Carl ziet er snel uit, klaar voor de start, ontvlambaar als een lucifer. Alfred kijkt verveeld.

Hij roept ons naar de startlijn en dan gaan we ervandoor. Ik kom als eerste bij de finish, met Carl vlak achter me. De rest van de jongens komt wankelend aan. Kleine Michael als laatste. Hij is diep teleurgesteld en op een bepaalde manier zijn wij dat ook. Hij is erg klein en wij zijn met zovelen.

We dragen hem terug naar het kamp en geven een feest voor hem, zodra de zon achter de koude horizon verdwijnt. We vlechten een kroon van gedroogd riviergras voor hem, versieren die met groenblijvende takken. We vertellen verhalen over hem, zoals de eerste keer dat hij een hert doodschoot en zo hard lachte dat hij zijn pis liet lopen. We prijzen met overdreven bewondering zijn kennis van de sterren, zijn zangstem. We vragen hem nog een van zijn middernachtsliedjes te zingen.

Maar hij schudt zijn hoofd. Hij staart in het vuur en geeft Alfred de grote steen. We hebben afgesproken dat dit het teken zou zijn, en dat als de steen eenmaal is gegeven, niemand nog bezwaar kan hebben.

Als het mogelijk is, zegt Kleine Michael zachtjes, wil je dan mijn moeder vertellen dat ik niet in de Stortkoker ben omgekomen? Ik heb voor jullie allemaal een beer gedood en ben bezweken aan mijn verwondingen. Hij gooit zijn hoofd achterover.

We slaan onze ogen neer als Alfred zijn keel doorsnijdt.

We jongleren met ballen, werpen botten, houden verschillende rondes touwtrekken. We maken nieuwe hindernissen en rennen over het parcours. We hollen, springen, rennen op handen en voeten, balanceren op onze handen. Een scherpe pijl of een fluitje dat geluid maakt uit hout snijden wordt gecombineerd met boomklimmen of een hardloopwedstrijd om het in balans te houden; houtsnijden is een kunst, maar iedere jongen kan rennen voor zijn leven.

Na elke wedstrijd maken we een kampvuur, vlechten we een kroon, vertellen we verhalen. We huldigen de jongen die verloren heeft, totdat de steen wordt aangegeven. En daarna eten we. En zeggen dat we hopen nooit meer zo'n wedstrijd te hoeven houden.

Er gaat een week voorbij, soms iets langer. Dan besluiten we de volgende wedstrijd te houden. We stemmen, iedereen moet het ermee eens zijn. Het duurt weleens een paar rondes, er wordt soms wat gekibbeld voordat we klaar zijn voor de volgende wedstrijd. Fred, Frank, Steven en Joe komen zo aan hun einde.

Op een ochtend, terwijl we ons aan het vuur warmen, merken we dat Brian weg is. George en ik worden aangewezen om hem te zoeken.

Alfred grijpt me bij mijn schouder, stopt me een groot mes toe. Het woud is gevaarlijk, zegt hij.

Ik lach. Het woud is helemaal niet gevaarlijk.

Het woud is zo gevaarlijk als wat er rondloopt, antwoordt hij.

George pakt het mes aan.

Een heel eind verwijderd van het kamp vinden we Brian. Hij klemt een tasje van dierenvellen vast, met daarin een paar reepjes gerookt vlees. In zijn hand verbergt hij nootjes. Hij zit met zijn been vast in een ijzeren wildklem.

Hoe is die hier terechtgekomen? gilt hij.

We halen onze schouders op.

Ik zeg: Waar heb je die nootjes gevonden?

We maken zijn hand open. Nootjes vallen in de sneeuw

en we slokken ze op. Onze keel knijpt samen, onze maag draait zich om; het zijn groene nootjes.

Help me hieruit, smeekt Brian. Het doet zo'n pijn.

We kijken naar de val, strijken voorzichtig over de bloederige tanden. We proberen de klem open te wrikken. De veren spannen zich, het scharnier piept, roestschilfers springen op. Het is zo'n oude val, hij werkt niet goed meer. Of hij is gemaakt om nooit meer los te laten. We schudden ons hoofd.

Alsjeblieft, ik moet hier weg zien te komen. Brians opengesperde ogen schieten heen en weer tussen het schemerige woud, de boomtoppen en ons. Dan ziet hij het mes in George's hand.

Relax, Brian, zeg ik. Je bent veilig.

Hij kijkt me achterdochtig aan. Dus strijk ik over zijn haar, zeg Ssst, als een moeder zou doen. Zijn lichaam verstrakt onder mijn aanraking.

George begint in Brians knie te snijden, dat lijkt de beste plek om erdoorheen te komen. Brian brult, knarst met zijn tanden, bijt in het vlezigste stuk van zijn hand en valt dan flauw. George gaat ijverig door met het mes, stopt af en toe om weer op adem te komen en het zweet van zijn voorhoofd te vegen. Het mes glijdt door de laatste verbinding van pezen en vlees, en het onderbeen valt op de grond. Ik bind Brians dij af om het bloeden te stoppen en dan dragen we hem terug naar ons kamp – hij weegt evenveel als een zak gedroogde bladeren.

De jongens verzamelen zich, mompelen: Arme Brian. Brian is een jongensjongen, iedereen mag hem graag. We vertellen niet hoe we hem aantroffen en niemand vraagt ernaar.

Alfred zegt: Wie heeft er honger?

Dat hebben we allemaal. We hebben het laatste beetje bouillon een paar dagen geleden opgedronken.

Maar, zegt Carl.

Maar wat?

Hij heeft de steen niet aangegeven. Dus kunnen we niet ...

Alfred schopt de steen tegen Brians schouder. Brian kreunt vanuit zijn bewusteloosheid.

Ben je nou tevreden? sneert Alfred naar Carl. Geen van de jongens werpt iets tegen.

Alfred knielt naast Brian neer, bekijkt de stomp.

Heb jij dit afgesneden? vraagt hij aan mij.

Heeft George gedaan.

Heb ik gedaan, zegt George.

Alfred kijkt hem aan. Volgende keer moet je ook de rest van het been meenemen.

Maar de eerstvolgende keer is het George die de wedstrijd verliest.

Al snel zijn we nog maar met z'n drieën: Alfred, Carl en ik.

We zitten bij het vuur, drinken bouillon, eten het laatste beetje vlees. Nu er minder jongens zijn, hebben we veel meer te eten. Ik kan weer vel beetpakken rond mijn middel. Maar met elke maaltijd groeit ook onze eetlust.

Ik zeg: Misschien hoeven we helemaal geen wedstrijd meer te houden. De winter loopt vast op zijn einde. Redden we het zonder extra vlees niet tot de lente?

Alfred schudt zijn hoofd. De lente is nog heel, heel, heel ver weg, zegt hij.

Ik zou zweren dat de wereld al weer aan het smelten is. Maar misschien is het een valse dooi, en sterven we weer van de honger voordat de lente echt aanbreekt. Ik zou het verschil niet kunnen zien, terwijl Alfred het altijd zeker lijkt te weten. Wellicht is het beter om door te spelen. Ik ben doorvoed en sterk. Als we wachten en ik weer verzwakt raak, zou ik dan nog zoveel zelfvertrouwen hebben? Ik kijk naar Carl. Hij laat zijn vingers knakken; dat doet hij altijd als hij iets overpeinst. Ik win altijd, maar Carl eindigt altijd als tweede. Alfred heeft nog nooit verloren, maar hij is nog maar één keer als tweede geëindigd.

We besluiten een wedstrijd door het woud te houden, die uitmondt in een laatste serie uitdagingen. Ieder van ons maakt een hindernis op het veld aan de overkant van de bevroren rivier. Die van mij is een hoge horde, waarvan ik weet dat ik eroverheen kom en Carl waarschijnlijk ook, maar waarover Alfred zal struikelen. Carl legt twee kiezels onder een massief blok ijs, dat ik wellicht met moeite van zijn plaats krijg, maar Carl met gemak, en ook Alfred zonder veel inspanning. En vlak voor de boom die ons eindpunt zal zijn, legt Alfred een veer op de grond.

Is dat alles? vraagt Carl.

Ja, zegt Alfred.

Is dit een list? vraag ik.

Alfred glimlacht en zegt: Gewoon zorgen dat de veer niet beweegt.

Nu de regels duidelijk zijn, kunnen we van start.

Ik loop voorop, maar Carl zit me op de hielen. Alfred ligt verder achter dan normaal, hij lijkt uitgeput. Bij de hindernis van boomstammen raakt Carl in de problemen. Hij is slungelig, terwijl ik gedrongen en acrobatisch ben. Ik galoppeer voorwaarts.

Ik schiet uit het woud en merk dat de ijslaag op de rivier wat meegeeft. Ik spring over de horde en beuk met mijn schouder tegen het ijsblok, duw tot het langzaam, heel langzaam kraakt als een gletsjer en ik een kiezelsteen kan pakken. Op mijn tenen maak ik een grote cirkel om de veer heen, terwijl ik mijn ogen erop gericht hou, doodsbang dat een briesje hem weg zal blazen. Is het écht een list? Maar er staat geen wind en er gebeurt niets. Ik heb gewonnen.

Ik omarm de boom en moet even huilen, en ik heb een tintelend gevoel, alsof dit is hoe het voelt om elf jaar oud te zijn.

De zon gaat onder. De lucht wordt koud. Ik heb lang gewacht tot Carl en Alfred zouden komen.

Ik ga terug naar het kamp en maak vuur. Mijn maag begint aan zichzelf te knagen. Ik val in slaap. Als ik wakker word, zie ik Alfred aan de rand van de open plek, die een slappe Carl met zich meesleept. Bloed druppelt in de sneeuw als ze naderen.

Wat is er gebeurd? vraag ik.

Alfred legt hem bij het vuur en gaat zitten. Carl rolt zich op. Op zijn voorhoofd zit een snee, waaruit bloed druipt, zijn voet zit achterstevoren ten opzichte van zijn knie.

Ik heb hem gevonden, een stukje voorbij de boomstammenhindernis, zegt Alfred. Hij is er vast over gestruikeld.

De opgerolde Carl huivert.

Ik weet niet wat ik moet doen, zegt Alfred, terwijl hij aan de bloedrode sneeuw zuigt. Ik was aan het verliezen, totdat Carl viel. Maar toen dat gebeurde, zou hij het eindpunt zeker niet hebben gehaald. Als ik hem daar had gelaten, had hij zeker verloren. Maar in plaats daarvan heb ik hem meegenomen en dus zijn we, in zekere zin, gelijktijdig aan de finish gekomen.

We hebben geen regel hiervoor, gaat Alfred verder. En we hebben honger. Hij rekt zich uit. Ik sta helemaal perplex, zegt hij, hoewel zijn stem vlak is en zeker niet klinkt alsof hij perplex staat. Ik ga water halen, zegt hij.

Als hij weg is, schiet ik op Carl af. Wat is er gebeurd? vraag ik hem.

Ik ben tegen een stuk hout op gebotst.

Zag je het dan niet?

Je kón het niet zien. Het kwam uit het niets op me af.

Ik heb het prima gered, zeg ik sceptisch.

Dat weet ik.

Denk je dat het vals spel was?

Denk jij van niet?

Maar hij heeft je hierheen gedragen.

Ik weet het. Ik weet het. Carl bijt op zijn lip, zijn blik glijdt het kamp rond. Hij buigt zich voorover en fluistert: We moeten ophouden met die wedstrijden, nu meteen.

Ik zwijg een hele minuut en zeg dan: Het was aardig van Alfred om je te helpen. Dat had hij niet hoeven doen. Als we een regel zouden hebben voor wat er is gebeurd, denk ik dat je volgens die regel verloren zou hebben. Ik denk dat het niet meer dan redelijk is om het te zien als verliezen. Als er nog jongens over waren geweest, weet ik zeker dat ze het met mij eens waren geweest.

Carls mond valt open, hol als een maag.

Net op dat moment komt Alfred terug met het water en een kroon van dood gras en gedroogde modder, waar hij zeker een paar dagen aan heeft gewerkt.

De steen ligt tussen Carl en mij in. Terwijl we met elkaar fluisterden, hebben we er beiden onbewust onze hand op gelegd. Ik trek de mijne langzaam terug.

Carl, heb jij de steen aangeraakt? roep ik uit.

Hij kijkt naar zijn hand, dan naar mij en rolt met zijn ogen.

O, zegt Alfred, alsof hij verbaasd is. Hij laat de kiezelsteen zien, die hij onder Carls ijshindernis heeft weggehaald. Die is mineraalwit, met vlekjes. Ik wilde deze aan jou geven, zodat je zou winnen, zegt hij tegen Carl, die zijn hand van de steen trekt alsof hij zich heeft gebrand. Maar je kent de regels. Als je de steen eenmaal hebt aangeraakt ...

Carl sputtert en krijst, krabt in de bevroren grond in een poging zichzelf weg te slepen.

Alfred raapt de steen op. Die ziet er klein uit in zijn vlezige hand, maar is verpletterend als je een jongen precies raakt.

De dagen worden langer en waar we ook gaan, overal zijn plassen en welt het smeltwater op uit de grond. De rivier kreunt door de ijsschotsen die afbreken en over het water glijden. De wind ruikt schimmelig door losgekomen stuifmeel, modder, groene dingen. Ik wéét dat de lente in aantocht is. Maar nog steeds raakt de wereld elke nacht diepgevroren en worden we wakker onder een laagje sneeuw. Er beweegt niets anders dan de bomen in de wind en Alfred en ik.

Op zo'n koude ochtend merk ik dat Alfred me bekijkt.

Ik heb honger, zegt hij. Alleen wij tweeën zijn nog over.

Er zijn nog wat botten, zeg ik en ik pak de pan om bouillon te koken.

Ik heb geen zin in bouillon, zegt hij toonloos.

Nou, het duurt niet lang meer voordat we weer kunnen jagen. Ik voel het gewoon. Ik hóór het dooien. Gisterochtend heb ik zeven verschillende vogels horen fluiten. En de rivier stroomt al weer. Heb je dat wel gezien? In de stukken tussen het ijs stroomt het water als golvende, zwarte zijde. Ik zou voor eeuwig hebben doorgebabbeld om maar te zorgen dat hij me niet langer zo zou bekijken.

Maar ik heb nu honger.

Ik kan nog wel wachten, zeg ik. Ik kan wachten tot het lente is.

Hij strekt zijn armen uit – ze zijn gespierd, zitten vol aders – en geeuwt, kijkt wazig en verveeld. Wat gaan we spelen?

Ik antwoord niet.

Alfred glimlacht. Ik voel wel wat voor tikkertje. Ik ben als eerste.

Wat zijn de regels?

Als ik je aantik, heb ik gewonnen.

Maar hoe kan ik dan winnen?

Door niet aangetikt te worden. Alfred komt met moeite overeind, alsof hij met zijn eigen lichaam worstelt. Maar als hij eenmaal staat, lijkt hij groter en krachtiger dan voorheen.

Ik had me natuurlijk voorgesteld dat dit moment zou komen. Als we met z'n tweeën overbleven, zouden we partners worden, broers, of we zouden doorgaan als voorheen.

Ik heb geen keus, geen tijd; ik ren ervandoor. Ik ben behendiger. Ik overtuig mezelf ervan dat ik hem voor kan blijven. Dat is me altijd gelukt.

Achter mij klinken zijn voetstappen als een bijl die een boom velt.

We rennen lange tijd, dringen diep door in het woud en keren dan weer om. Ik kijk voortdurend over mijn schouder, verwacht dat hij ver achterligt, maar hij zit me telkens vlak op de hielen.

We zijn helemaal aan elkaar gewaagd, schreeuw ik, hoewel ik hem altijd met gemak te snel af ben geweest. Misschien moeten we het opgeven.

Nee, schreeuwt Alfred.

Overal waar we lopen spat de modder op. Ik voel de warmte die ervanaf komt. Met elke ademtocht ruik ik groen.

Waarom rennen we? schreeuw ik weer. Het is overduidelijk lente. Ik ren tussen scheuten van nieuwe planten door, die opschieten door de sneeuw, op zoek naar de zon. Zij wéten het al.

Ik ren omdat jij rent, roept Alfred.

Als jij me niet meer achtervolgt, graaf ik wat bollen op en kook ik een hartige bollensoep.

Ik wil geen bollensoep, gromt Alfred.

We rennen de hele dag en de hele nacht. Ik ruk takjes af terwijl ik ren, kauw erop en zuig het sap eruit, bittere suiker. Ik weet niet of ik nog wel door kan rennen. Maar dan ren ik weer door.

Als het weer licht wordt, voel ik mijn benen niet meer. Als ik denk dat ik geen stap meer kan zetten, roep ik: Ik heb een voorstel. Ik zal al het eten voor je vinden dat je wilt. Ik zal alles ervoor doen. Maar dan moet je wel ophouden me te achtervolgen.

Gaat je niet lukken.

Gaat me wél lukken, want uiteindelijk kan ik alleen mezelf geven. Als het me niet lukt, word ík de maaltijd.

We stampen langs de rivier, die nu snel stroomt en de plakken ijs verbrijzelt op de rotsen. De opkomende zon kleurt de zwarte wereld blauw. Ik hoor zijn adem niet meer zo dicht achter mij, maar ik voel een andere kilte, alsof hij zijn handen al om mijn nek geslagen heeft.

Op dat moment hoor ik geschreeuw, gelach en drukte in de verte. Ik ben verbijsterd, vergeet alles en sta stil. Alfred schiet vlak langs mij heen door het struikgewas en verdwijnt tussen de bomen.

Ik hoor zijn stem, onmiskenbaar, vertrouwd en helder, als de stem van een broer tussen het vreemde, hoge en dunne stemgeluid van de jongens die zojuist door de Stortkoker zijn uitgespuugd: Hierheen! Een kamp! Ik heb een kamp gevonden!

Het rumoer verplaatst zich, de jongens komen in actie. Ik loop terug en glip stilletjes op de open plek, net als de jongens die bereiken en hun ogen laten wennen aan het licht. Dit is de eerste keer dat ze elkaar pas goed zien.

Ik schraap mijn keel en probeer verwonderd te klinken: Denk je dat wij de eerste jongens zijn die uit de Stortkoker zijn ontsnapt?

Lijkt me niet, houdt een kleine jongen vol.

Volgens mij wel, zegt Alfred. Anders zou hier een heel dorp zijn vol jongens zoals wij. Maar ouder.

Op dat moment beseffen de jongens dat ze hier altijd zullen moeten blijven. Ze vallen stil, zijn opgewonden, bang.

Hoog boven hun hoofd komt de zon achter de donkere boomtoppen vandaan. Alfred glimlacht naar me in het flakkerende oranje licht.

Woord van dank

Mijn dankbaarheid:
Voor het lezen van vroege en latere versies, inspirerende acties, advies, opwinding of gewoon in het algemeen: Karolina Walawiak, Jonathan Goldstein, Alissa Shipp, Lisa Pollak, Starlee Kine, Ira Glass, Julie Snyder, Jane Marie, Sarah Jetzon, Anjali Goswami, Jamie York, Rebecca Wright, Aric Knuth, Laura Wetherington, Hannah Ensor, de familie Just, Don Cook, Ramon Isao, Megan Lynch, Emily Miller, Cheryl Tan, Daniel Pipski en Heidi Julavits. Mijn speciale dank gaat uit naar Sam Lipstye, Rebecca Curtis, Ben Marcus en de excellente deelnemers aan hun workshops op Columbia, die vroege versies van een paar verhalen lazen en me altijd aanmoedigden, vol geestdrift en scherpte. Mijn grootste dank gaat uit naar mijn Schrijfgroep, voor al de bovengenoemde redenen en meer: Jessamine Chan, Yael Korman, Hilary Leichter, Heather Monley, Mary South en Lee Ellis (emeritus).

Voor tijd, ruimte, steun en gezelschap: Yaddo, de Albee Foundation en het Vermont Studio Center. Speciale dank ben ik verschuldigd aan het Sitka Center for Art and Ecology, waar ik de diepte van de ideeën en inspiraties die tot dit boek leidden kon peilen.

Voor hun aanmoedigingen, verbeteringen en het opnemen in tijdschriften: Meakin Armstrong, Cathy Chung, Case Kerns, Annie Liontas, Christopher Cox, Michael Ray, Rob Spillman, Meg Storey en Sigrid Rausing. Ook dank aan het Creatief schrijven-programma van de Universiteit van Louisville en aan Rick Simmons, die zich sterk maakte voor de Calvino Prize.

Aan stafleden en studenten van het New England Literature Program die me hielpen met de fundering onder mijn luchtkastelen.

Aan mijn agent, Seth Fishman, voor begeleiding, enthousiasme, wijsheid en rust. Aan mijn redacteur Terry Karten, voor zijn fijngevoeligheid en geduld. En aan het voltallige, hardwerkende team bij Harper.

Aan mijn vader, omdat hij op de juiste momenten bemoedigend, sceptisch en vol ontzag was.

En aan Jorge Just, mijn eerste lezer, geliefde en beste vriend. Tot het einde der tijden.